JN040069

# 主観思考

思ったこと言ってなにがわるい

吉谷吾郎

光文社

## はじめに

もしあなたのことばが相手にうまく伝わらず悩んでいるのなら。あるいは気持ちをことばにできず、人とのコミュニケーションで悩んでいるのだとしたら。

それは「主観」を軽んじているからかもしれません。

不安、悩み、うれしさ、よろこび。「わたし」がほんとうに思っていること。みんながもっと、じぶんのことばに「わたし」を練り込んでもいいと思うのです。

一般的に「わたしはこう思う」と言うと「それってあなたの主観でしょ」と返されてしまいます。けれど、ＡＩがどれだけ進化しても「わたしがどう思っているのか」は、わたしにしか導き出せません。あとにも先にもこの世にたったひとりしかいない「わたし」の主観を大切にすることで、人とのコミュニケーションや関係性がよりよくなると考えています。

ことばを使わずに生きていくのはむずかしい。逆に言えば、ことばで悩むことをすこしでも減らすことができれば、よりよく生きられるんじゃないかと思うのです。

ことばのコミュニケーションがもっとうまくなりたい
書くということに対して苦手意識をなくしたい
物事をポジティブな視点で捉えられるようになりたい
じぶんはじぶんでいいと思えるようになりたい

ぼくがこれまでコピーライターとしてもがいてきた経験が、このような人たちの道を照らすことができたらと思います。
それでは、どうぞよろしくお願いいたします。

目次

# 第2章

# 主観の敵

第3章

# 主観の見つけ方



第4章

# 主観の伝え方〈姿勢編〉

## 第5章

# 主観の伝え方〈技術編〉

# 序章

どうすれば人のこころを動かすことばを書けるんだろう?

大学を卒業したあと、小さな広告制作会社にコピーライター志望で入社したぼくが呪いのようにずっと抱えていた悩みです。

コピーライターとは、人に伝わることばを書くプロ。なんのコネも実力もないじぶんが、たんなる憧れだけで「コピーライター」のスタートラインに立っていました。

とにかく「いいコピーを書きたい!」という情熱だけはあったので、あらゆるコピーライティングや文章術の本を読みました。おおげさではなく世の中にある「コピー」と名のつく本は読み尽くしましたし、名作と言われるようなコピーをなんども書き写しました。幸運にも尊敬する「ことばのプロ」たちとの出会いがあり、教えを請うて直接フィードバックをもらった経験もなんどかありました(それらの経験はいまでもじぶんが仕事をする上での財産になっています)。

ところが「どうすればいいコピーを書けるのか」をいくら勉強したって、1000本コピーを書いたって、「うまくいったぞ！」と胸を張れるような仕事ができない時期が数年つづきました。

そんな悶々とした日々のなか、あるときこんなコピーを書きました。

**「4年に一度じゃない。一生に一度だ。」**

2019年に開催されたラグビーワールドカップ日本大会のキャッチコピーです。

「〇〇じゃない。〇〇だ。」なんて、よくある古典的なレトリック。キャッチコピーやスローガンというものは短ければ短いほどいいという定石があるけれど、これは長いほう。世に出るまえは「うまくいくだろうか」という不安と、「こういうイベントのキャッチコピーなんてスルーされるのがふつうだろう」という自己慰安の気持ちが入り混じっていました。

ところがどっこい（はじめて使いました）、このキャッチコピーが世の中に出てからというもの、信じられないほどの反響がありました。この一行のことばがじぶんの想像を超えて、日本全国を切り拓いてくれているような感覚でした。

知人からこの仕事の相談がきたとき、ラグビー選手としては決して日本代表になれるようなレベルでは到底なかったものの、コピーライターとしてあのラグビーワールドカップの仕事に携われるかもしれないなんて、千載一遇のチャンスだと思いました。

高校・大学時代はラグビー部に所属していたのですが、会社に頼れる部活の先輩はひとりもいない。大手広告代理店がやる世の中を動かす大キャンペーンのような仕事もない。当時は中小企業の採用広告をたくさんつくっていて、かつてコピーライターに憧れていたじぶんに胸を張れるような仕事はありませんでした。

だれもやりたがらないような仕事や、みずから頼んででもやりたい仕事をボランティアで必死にやっていた20代。スキル不足で迷惑をかけたこともありましたが、どの仕事も一生懸命取り組んでいたおかげか、その仕事がうまくいくとご褒美でつぎの仕事がすこし大きなサイズになってやってきて、雪だるまのようにどんどん大きくなり、いよいよあの「ワールドカップ」の仕事にたどり着いたのです。

そのとき素直に思ったのが、**「ワールドカップは4年に一度やっているけれど、日本でやるこのワールドカップの仕事の打席に立つことができているなんて、じぶんにとっては一生に一度の仕事になるだろうな」**ということでした。そうです、このキャッチコピーを読んで共感したひとりめは、まさに書いたぼく自身。ぼく自身がだれよりもこのことばを「こころからそう思う」と信じていたのです。

さらに、このキャッチコピーが世に出てから、知り合いの選手たちからは「じぶんもそういう気持ちで日本代表に選ばれるためにがんばろうと思う」だったり、ファンからは「わたしにとってもそうだからたくさんチケット買わないと！」だったり、大会関係者のみなさんからは「我々もそのつもりでいい大会にしよう」だったりと、うれしい共感の声がとどきました。

率直に、感動してしまいました。地球上でバラバラの場所で暮らす人類がじぶんの足元を掘りつづけたら最後は球の中心でみんなが出会うように、たったひとりのじぶんがどう感じて、どう思っているかということを深く掘りつづければ、多くの人たちとつながり合えるんだ、ということに。

そして、こんな考えが頭に浮かびました。

**「人に伝わることばを書くための魔法のテクニック」なんて、存在しないんじゃないか？**

もし再現性のある科学の方程式のようなものがあったら、だれだってすばらしいコピーを書けちゃうし、そんな秘伝のタレがこの世に存在するのならほんとうは同業者に教えないものじゃないか…？（「いや、教えるよ」という方、すみません！）

もちろん、ことばやコミュニケーションのプロ、問題解決のプロとしての技術や知識は幅広くたくさん持っていて、打率を上げるためのコツは知っている。けれども、実際はじぶんひとりでコントロールできないさまざまな要因が重なって「うまくいく」ことが多いものです。

先ほどご紹介したぼくの書いたコピーだって、「広告の露出量が多く期間が長く範囲が広かった」「ラグビー日本代表が大躍進してくれた」「初のアジア開催という希少性の高い大会という事実が先にあった」などの要因が大きく、どれもぼくの力量のおかげではなく、だれかのおかげです。
巨匠と呼ばれるコピーライターのみなさんも、クライアントへのプレゼンでは「こういうふうにすればうまくいきます」と提案しているけれど、「たまたまヒットした」とか「空振りした仕事もある」というのが本音だと思います（「いや、ちがう」という方、すみません！）。

正解なんて、ない。じゃあ、信じるべきものはなんなのか…？

そう、**「わたし」**なのだと思うのです。

「じぶんはこう思う」や「わたしはこう考えました」といった主観というものをきちんとことばにして伝えられたら、仕事がすこしたのしくなったり、すこしイヤな出来事にもポジティブな意味を見いだせたり、そして、ひとりひとりの主観をみんなが交換し合えたら、もっと他人の考えを受け入れられるようになったり。みんながじぶんの主観を大切にすることで、よりよく生きられるんじゃないか。そして、その尊い「主観」というものは、本来だれもが持っているものじゃないか。そんなふうに考えています。

**第1章「主観の力」**では、「わたし」という主観にはどんなパワーがあって、なぜ主観が大切なのか、人のこころに伝わることばとはどんなものかを考えていきます。

**第2章「主観の敵」**では、そんな「わたし」という主観に重きを置くことを阻むものはなんなのか？　ということを考えていきます。

**第3章「主観の見つけ方」**では、「わたし」という主観をどのようにのぞくことができるのか、どうやって「じぶんのことば」を見つけていくのかをご紹介します。

**第4章「主観の伝え方〈姿勢編〉」**では、「わたし」という主観を言語化するにあたっての心構え、大切にしたい姿勢についてご紹介します。

**第5章「主観の伝え方〈技術編〉」**では、「わたし」という主観を言語化するときに活かせるコピーライターのことばのテクニックをご紹介します。

# 第1章

# 主観の力

## ―― 主観でいいのだ

あなたは、まわりの声や意見ではなく、「じぶんがどう思ったか」を大切にしていますか。また、じぶんのよわさも含めてじぶんのことを人に話せますか。相手を傷つけたくない。嫌われたらどうしよう。よわい人間だと思われたくない。そんな思いから、じぶんの思ったことはなかなか言えないものです。

一方で、これからの時代は「じぶんの感じたこと」や「ほんとうのじぶんの思いや考え」といった**「主観」を大切にしたり人に伝えたりすることがよりよく生きるために大事になっていく**と感じています。

ぼく自身、どこかのだれかが発信した情報をスマホの画面を通して目にしていますし、お店を選ぶときはクチコミや他人のつけた点数を気にしてしまうものです。仕事をしていても「データやマーケットはどうなんだ?」と「客観」が求められます。

ですが、この世界にたったひとりしかいない「じぶん」をもっと大切にすることも人事ではないでしょうか。じぶんはそれについて、どう感じたのか。なにを考えたのか。立ち止まって、じぶんのこころをのぞいてみて、ほんとうの「じぶんのことば」を見つけてみる。そして、それを勇気を出して人に伝えてみる。伝わるとうれしいですし、なにより他者の「主観」も認めて受け容れられるようになります。

## ――「名台詞」の共通点

歴史上の「名台詞」と言われることばたちをプチ研究したことがあります。すると、時代を超えて人のこころに伝わることばにはある共通点があることを発見したのです。

### 「I Have a Dream」

キング牧師による1963年の黒人公民権運動「ワシントン大行進」の演説のなかの象徴的なフレーズです。ぼくは、この演説の原文を高校の英語の授業で習って当時の音声をそのまま聴いたのですが、「ことばってすげー！」と魂が震えたことを憶えています。

キング牧師は、このスピーチを通じて当事者としてどんな経験や思いをしてきて、そういった過去をふまえてどんな未来を夢見ているのか、ということをまさに主語を「I」として語りました。スピーチのなかに出てくるエピソードにも、「わたしの4人の幼いこどもたちが、肌の色ではなく、人格で評価される国に住むという夢がある」という個人的な内容が盛り込まれており、ここにも「主観」があります。

主観には嘘がありませんし、他人からいくら「あなたはそう思っていないはずだ」と言われても、本人がほんとうにそう思って言っているのだから否定のしようがありません。だから、ことばが強いのです。

## 「I♡NY」

こんな有名なスローガンもあります。1970年代に治安のわるかったニューヨークの観光キャンペーンのスローガンです。ところで、このスローガンが、もし、「YOU♡NY」だったら、このシンボルはこれだけ世界中に広まっていたでしょうか。

「あなた(たち)はニューヨークが好きだ」と知らないだれかから言われると、いくら好きだったとしても、「そんなこと、あなたに決められたくない」とか「ユーってだれよ!」とか、そんなふうに思ってしまうのではないでしょうか。それなのに、「I♡NY」だと視覚的な収まりのよさもありますが、なんだか受け容れたくなってしまいます。


たったひとりの主観=「I」のことばでも、それを読んだり聞いたりした人が、「わたしも、そう思う!」と、その「I」にじぶんを代入したくなる。「WE」というのは、たくさんの「I」からできている。

だからこそ、人になにかを伝えるとき、**「主観」というものがめちゃくちゃ大事なんじゃないか?** そんなふうに考えるようになりました。もちろん、ここに挙げた2つの例は主語をかならず置く英語という言語であるという背景もあると思います。ですが、どちらも「わたし」を大事にしている根っこのあることばです。

「Think different.」

こちらはAppleの1997年の広告キャンペーンのコピーです。Macというコンピューターの宣伝の売り文句でありながら、その製品のいいところやものすごい機能について一切語っていません。オトナになったらいろいろな物事を「こういうものだ」と諦めてしまっている人が多いけれど、じぶんの人生はじぶんで変えることができるのだ。ただ、そういう生き方をすることは人とちがった道を選ぶことになるし、反逆者、厄介者と言われることもある。それでも、じぶんの道を信じている人だけがじぶんの人生も世の中も変えることができる。…そのようなメッセージです。人とちがう、ということを肯定しています。

これはAppleの創業者であるスティーブ・ジョブズという人間そのものであると言えます。彼の哲学、思想をそのまま形に落とし込んだのがAppleの製品だということです。「だれがなんと言おうが、オレがいいと思うものをつくりたい!」という、もう、これぞ主観のメッセージです。

そもそも人はみんなひとりひとりちがいます。会社でもチームでも、みんなが集まっている組織では「わたしたち」という主語を使ってしまいますし、使うことはまちがっているとは思いません。ですが、ほんとうの意味での「わたしたち」という人は存在しないのだと思います。さらに、ひとりの人間のなかにも「そうだと思うときもあるし、そうだと思わないときもある」といったような、どっちつかずの部分があるので、「わたし」という存在ですら怪しいものです。

## アスリートの主観の強さ

人の記憶に残るようなことばというのは、どのようなものか。ひきつづき、それについて考えていきます。

オリンピックやワールドカップなどの国際大会でかならずと言っていいほどある「試合

後の選手へのインタビュー」。世界中の人びとが注目するシーンです。ここには歴史や人びとの記憶に残る名台詞があります。

**「チョー気持ちいい！」**
**「なんも言えねぇ」**

元競泳・北島康介さんのこれらのことばは有名です。こころの底からわいて出てきた、素直なじぶんの感情だったのだと思います。水のなかの世界でじぶん自身と向き合いつづけてきて世界のトップに登りつめた張本人が「思ったことを言った」のです。ところが、この「主観」について、「スポーツ選手としての品格はどうなんだ」と批判する人も多くいました。どんなアスリートだってわたしたち一般人とおなじひとりの人間ですから、だれかに迷惑をかけないのならば感情を爆発させたいときもあります。「〇〇は〇〇でないといけない」にとらわれている人たちからの批判だったのでしょう。

もうひとつ、アスリートのことばを紹介します。

## 「はじめてじぶんでじぶんを褒めたいと思います」

こちらは、元女子マラソンの有森裕子さんの1996年アトランタ五輪のレース後のインタビューのことばです。この部分だけ切り取られることが多いですが、ここに至るまでのことばもぜひ紹介したいと思います。

「とにかくわたしらしく、もう、このあとなにもないぐらいの気持ちでスッキリ走ろう、それだけ思いました。メダルの色は銅かもしれませんけど、おわってからなんでもっとがんばれなかったんだろうと思うレースはしたくなかったし、今回はじぶんでそう思ってないし（ここで彼女は声を詰まらせて涙ぐみます）…はじめてじぶんでじぶんを褒めたいと思います」（※書き起こしはすべて筆者によるもの）

スポーツの世界ですから、かならず勝敗があります。競争する「相手」の存在がいるわけです。そういったじぶんではコントロールできない外側の世界のモノサシではなく、じぶんらしく、全力を出し切り、じぶんのモノサシで満足のできる走りができたことではじめてじぶんを認めてあげられた、という意味だとぼくは解釈しました。そして、このインタビューのことばは、当時の有森選手がほんとうに思ったことをそのままことばにしたのではないかと思います。

実は、たまたまお仕事で有森裕子さんにお会いできる機会があって、ご本人に「本を書いておりまして、あの有森さんのセリフをお借りして…」と言った瞬間、「ああ、『じぶんでじぶんを褒めてあげたい』でしょ！」と出し惜しみせずみずからこのセリフを言ってくださりうれしかったことを憶えています。とにかくパワフルで気さくな方で、どんなお話でも体重の乗った「じぶんのことば」を話される方だなぁ、と印象的でした。

アスリートのみなさんは、カラダを動かしながら、いつもこころを動かしているように思います。その感受性の豊かさがいい方向にもわるい方向にも作用することはあれども、常にじぶん自身と向き合いながら、「主観」が鍛えられていると思います。そして、そんなアスリートたちから社会に向けて発せられることばから、**「その人のこころが動いているからこそ、他人のこころも動かせるんだ」**という事実を痛感させられました。

2022年におこなわれたサッカーワールドカップのカタール大会での本田圭佑さんの解説も話題になっていました。名実況と言えば**「栄光への架け橋だー!」**などがありますが、本田さんの解説は「これこそ主観ワールド全開!」というものでした。

**「うわーー! めっちゃうれしい!」**
**「もうメッシに勝たせてあげましょうよー」**

解説者の立場として中立性もないですし、一応だれもが観られる公の電波で「タメ語」の連発でした。痛快です。ですが、この解説をよろこぶ人たちがたくさんいました。実際にぼくもサッカーをちゃんと映像観戦したのははじめてだったのですが、本田さんの解説のおかげでたのしめました。

これも、まさにいまの時代ならではだと思います。**だれかに「言わされている」ような無難なことばは、だれにも響きません。**ありのままのその人のことばがまわりの人にもよろこばれるのだと思います。

　また、話はアスリートからミュージシャンに変わりますが、カラオケに行ったとき、ほかの人がじぶんの知らない歌をうたっていると、ついついモニターに映された歌詞を食い入るように見てしまいます。どんなことばが乗せられた歌が人に愛されているのかに興味があり、ついつい「ことばの研究」をしてしまうからです。

　それでよく感じるのが、「ご本人が作詞作曲している歌の強さ」についてです。

　バンドなどに多いですが、そのバンドのメンバーが作詞作曲を担当しているケースがあります。サザンオールスターズの桑田佳祐さんやMr.Childrenの桜井和寿さんなど、シンガーソングライターと呼ばれる人たちです。

　これらの人たちは、いわゆるシンガーとしてものすごく美しく伸びる声でうたうわけではなく、歌だけをうたわせたらもっと上手な人はいるはずです（あぁ、ファンのみなさま、ごめんなさい！　ぼくも好きなんです）。けれど、彼らはじぶんの思ったこと、伝えたいことを歌詞にして叫ぶように、ときにはささやくようにうたいます。歌詞の内容も、じぶん自身の恋愛のことや人生の出来事など、ものすごく個人的なことを書いているのにもかかわらず、多くの人から共感を得る歌詞がたくさんあります。

**「上手でなくてもいい。大事なのは表現したいと思う強さがあるかどうか」**ということを、音楽だけではなく絵画やイラスト、写真でも、アーティストたちは教えてくれます。

ぼくらのような広告のコピーライターの仕事だって、本来は「わたしの感動を伝える仕事」であるべきだと思います。おいしいものを食べる。「うま!!」と思わず声が出る。その感動をそのままことばにすればいいわけです。

ところが、テレビ番組の「食レポ」のように、「この、甘すぎず、素材を生かした…」とヘンに気を利かせようとしたことばが求められます。それは、その食べもののおいしさではなく、表現の技術のおもしろさで番組を盛り上げるためなのかもしれませんが、おいしさに感動して思わず出てきた「うま!!!」のほうが、ずっと伝わると思いませんか。

コピーライターという仕事は、こういった「気の利いたことばを書く仕事」だと思われることも多いですし、実際に表現のうまい魅力的なコピーはこの世にたくさんありますが(それが商売としてお金をもらうための条件のひとつということもありますが…)、本来は「すごい!」「うまい!」で伝わるような商品、「この企業、すごいです」で信じてもらえるような企業や商品・サービスをつくることが先だと思います。そういった「うちの会社(商品)、めっちゃいいんですよ!」という想いのある経営者や担当者との仕事は、おのずと「めっちゃいいことばやデザイン」が生まれるものです。

## ――「なにがきみのしあわせ？」

わかりやすい「主観」の例として「幸福」があると思います。「なにが君の　しあわせ」という哲学的な問いを幼児たちに投げかける『アンパンマンのマーチ』という歌がありましたが、まさにそれです。この歌では、「わからないまま　おわる　そんなのは　いやだ！」と、わりと「使命」や「生きる意味」といったむずかしめの問いのように見えますが、もっとカジュアルな意味での「なにが君の　しあわせ？」の答えが、主観のひとつであると思います。

いわば、「幸福」の定義は「わたし、いま、しあわせ〜！」と、**じぶん自身がしあわせを自覚できているこ**と、だとぼくは考えています。「日本一しあわせ〜」と叫んだ瞬間、あなたは日本一しあわせなはずです。だれかから「いや、わたしのほうがしあわせよ！」と言われても、幸福は「主観」なので比べようがありません。

ここで最も重要なのが、「じゃあ、あなたのしあわせってなに?」ということだと思います。それに、すぐ答えられるかどうか。猫のお腹に顔をうずめることなのか、タワーマンションから東京の夜景を見下ろすことなのか、人それぞれあると思いますが、それをじぶんで知っていることが大事だと思います。かつて「ロト7」のCM広告で**「お前の夢は金で買えるのか?」**というコピーがありました。それも、人それぞれです。

それがどんなものであれ、共通しているのは「陰とセット」であることなのではと思います。

たとえば「幸福」を「陽」で「不幸」を「陰」と置くと、これらはコインの表と裏で2つでひとつ、セットです。どちらかひとつはありえません。そして、「陰陽《いんよう》」や「悲喜《ひき》交々《こもごも》」と言うように、基本は「暗いこと」や「悲しいこと」が先にあって、それがあるからこそ「明るいこと」や「よろこばしいこと」があるものではないでしょうか。

そう考えてみると、なにかつらいことやピンチなことがあったときほど、「わたしのしあわせ」という主観をより意識的に感じることができるチャンスとも言えます。

最近（2020〜2022年）、よく見るようになったなと感じる単語に**「偏愛」**ということばがあります。

文字通り、平均から大きく外れて偏っているくらい対象を愛していること、です。「ほかのだれにも理解されなくてもいいわたしだけの世界」とも言えます。これこそまさに「しあわせ」や「好き」という主観です。このたったひとりの偏愛というものをみんなでシェアし合うことが、多くの人によろこばれている時代を感じます。

これに似ていることばに**「推《お》し」**もあります。使いやすく広げやすい単語で、「推ししか勝たん」や「推し活」とバリエーションも豊かですが、おなじように「わたしが好きなもの」といういわば主観を大切にする風潮のひとつと言えるでしょう。

批判されないように、怒られないように、まちがえないように、いろいろと気をつけながら発言したり文章を書いたりする時代に、こういった「だれがなんと言おうと」という主観のパワーがより求められているのではないでしょうか。

それはそうと、ぼくの息子がやっとひらがなを使いこなすようになってきた5歳のときに、突然、A5サイズの白い紙に横書きで**「たのしい　いちにちを　じぶんで　つくろ**

**う」**という標語を書いて見せてくれておどろいたことがあります。どこでだれにそんなセリフを教わったのか、じぶんの内なる想いが表出されたのかはわからないのですが、これには妙に感心してしまいました。たのしいかどうか、しあわせかどうかを決めるのはじぶん次第なので、「じぶんでつくる」ことは大事だよな、と。

## AIが答えられない問いとは？

革新的なＡＩ技術が生まれています。「インターネット出現以来のインパクトである」とどこかで読みました。たとえば「不倫している友人にどんなアドバイスをしたらいい？」と質問を打ち込むと、１秒ほどでアドバイスの方向性を４つほど示してくれるそうです。しかも、その中身もとても丁寧で具体的でまるで信頼できる友人に相談しているかのようなのです。

これだけ「非人間」が生み出したことばがしっかりしているとなると、わたしたち人間が文章を書く理由はあるのだろうか？　人間にしか書けない文章とはなんだろう？　と考えてしまいます。

ぼくは、そういったＡＩが文章を作成できる時代だからこそ。「主観」が重要になると思っています。


たとえば、こんな依頼（質問）をChatGPTにしてみましょう。

「わたしがいま好きな人はだれ？」

「ぼくがこれまで最も悲しかった出来事は？」

実際に打ち込んでみると、どうなるのでしょうか。「知らんがな」と答えてくれたらおもしろいですが、まさにその答えを知っているのは問いを出した本人のみです。

インターネットの世界にあるのは、「客観的なもの」です。人間のこころのなかにある「ことばにできないもの」「まだことばになっていないもの」は見えないので拾って学習することはできません。

たとえば「小学校の宿題の夏休みの日記を書いて」と打ち込んだら、「それっぽい小学生の夏の１日」を出来事として客観的に文章化してくれると思いますが、そこにものすごい発見や人間の持つ感情、こころの揺れ動きまでは表現できないと思います。「固有性のある事実」や「その人だけの感情」というものは、人間が書くしかないのだと思います。そして、そういった人間のこころの動きが表現された文章だけが、人間のこころを揺さぶるのだと思います。

## 「便利」だけじゃなく「おもしろいか」どうか

日本を代表するレーシングドライバーの武藤英紀さんが「自動運転」について語ってくれた内容が非常に印象的でした。

「自動運転が完全に普及したら、交通事故は一切なくなりますし、免許も要《い》らなくなりますよね。けれども、『じぶんで運転する』っていうことは、たとえば、好きな人の隣で運転しながらカッコつけるとか、だれかに道を譲ってこっちまでうれしくなるとか、そういう人間の感情を奪ってしまうと思うんですね。たしかに事故が減ることはいいことなんだけれど、つまんなくなっちゃう、っていうか。レースだって、人生だって、ある意味ではリスクがあるからおもしろいのに、それがぜんぶなくなっちゃうのはさみしいですよね」

そのようなお話でした。**人間がクルマに乗ることの価値は、その人だけの「感情」が生まれることである、**と。

さらに、レースというのはまさに競争です。「一等賞を競い合う」という価値観も「みんなで一緒にゴールしよう」という時代の流れと逆行しているんです、という話もありました。ですが、武藤さんは「勝ってうれしい！」とか「負けて悔しい！」とか「じぶんはこれに向いている」とか「これは向いていない」とか、「競争」というものは、そういう「人間の感情」を生み出しているのだと言います。「みんなで一緒にゴールしよう」という考え方は、感情を生まないし、努力する価値もなくなるし、人類は進化しないのだと。

「1ミリでも先にゴールしたいっていう強い気持ちがレーサーを成長させてきたんです」

と武藤さんは笑いながら話してくれました。

喜怒哀楽は、典型的な主観のひとつだと思います。AIや自動運転というものは、そういった喜怒哀楽を必要としないシーンでは、どんどん活用していけばいいと思います。人間の感情を大切にしたいシーンでは人間らしさを残して、「どちらかが勝つ」という二元論ではなく、うまく共存していくことが大事だと思います。

## ――「ぼくは、ぼくのままがいい」

高性能カメラ付きのスマートフォンが普及(それに伴う写真投稿を中心としたSNSの普及)の影響なのか、「自撮り」という行為があたりまえになりました。

ひと昔前までは(2010年までくらい?)自撮りをするような人のことを「あの人、ナルシストだね」と揶揄《やゆ》するような風潮がありましたが、いまではそのことば自体をあまり聞かなくなったように感じます。むしろ「セルフブランディング」ということばが出てきたくらい、じぶんというものを意識して、いかに社会に対して自己表現させていくかという時代になっています。他人に迷惑をかけてはいけないことは前提として、いつのまにか、じぶんを大切にすることがそんなに恥ずかしいことではなくなりました。

そもそも、「じぶんのためだけ」というのは、むずかしいことです。

ろくに働かずに家でコンビニのお菓子を食べながらゲームばっかりしている人がいたとして、その人に「好きなことばっかりやっていないで、社会のために生きなさい」と言ったとします。けれどよく考えてみれば、お菓子やゲームをつくっている会社にお金を払っているので、ちゃんとその会社の売り上げに貢献しています。ほんとうの意味で、「じぶんのためだけに生きている」というのは無人島でポツンと座って大きな空を眺めているような状態なのかもしれません（そして、そんな暮らしは1週間もしないうちに飽きてしまうと思います）。人はみんな、ふつうに生きているだけでだれかの役に立ってしまっている。同時に、だれかのおかげで生きている。そうなんじゃないでしょうか。


「人のため」が「じぶんのため」になる。それは、とてもしあわせなことであると思います。「応援しているのに、応援されている」というフレーズを、アイドルのファンやスポーツ観戦している人から聞きます。貢献するよろこび、とでも言うのでしょうか。

すこしまえに、東日本大震災で学校の体育館に避難している人の話を聴いたことがあります。それは、「ＬＯＶＯＴ」（らぼっと）というロボットＡＩのペットを避難所に置いたらとてもよろこばれた、という話でした。ペットに人が癒されるように、ロボットをかわいがっているとこころが落ち着くということもあったと思うのですが、人から助けられてばかりいるよりも、人の役に立つことで得られる充足感と言いますか、人間は**「じぶん以外のなにかを愛《め》でることで、じぶんを大切にできる」**のかもしれません。

人によろこんでもらって、うれしくない人はいないはずです（いたらすみません！）。それなのに、人にいじわるをしてイヤな思いをさせたり、人を傷つけるようなことばを投げつけたりする人がいます。そのようなことをする人たちも、また、おなじようなことをだれかにされていて、**「イヤな気持ちの連鎖」**が起きているのだと思います。

**幸福というのはじぶんひとりで成立しますが、不機嫌というのは他者がいなければ成立しないもの**であると、ぼくは考えます。

たとえばサウナに入ってととのってしあわせ〜、という人はまわりにだれもいなくても幸福を感じられると思うのですが、不機嫌な人というのは、その不愉快さや不機嫌さを他人に露骨に示して巻き込んで周囲の人に「不機嫌だな」と思わせることではじめて不機嫌というものが完成する、ということです。しかも、不機嫌は連鎖していくのが厄介です。

「やらされている」とか「やってもらっている」よりも、「やっている」とか、できれば「やりたくてやっている」ことに、人はよろこびを感じるものです。

「これ、やっておいて」とお願いされるよりも、**「これ、むずかしいかもしれないんだけどやってもらえる？」**と言われたほうが、やる気がわいてきませんか。空いているレストランで「ここへお座りください」と言われて座るよりも、たとえおなじ席だとしても「お好きな席へどうぞ」と言われて座ったほうが気持ちがいいですよね。

他人から「こうしなさい」と言われてその通りにするよりも、「わたしはこうしたい」と行動できたほうがいいに決まっています。決まっているのに、なかなかできないものです。それは「主観」を軽んじているからではないかと思うのです。

そういえば、という余談なのですが、息子がまだ3歳すぎくらいのときに、「○○（息子の名前）は、将来なにになりたい？」と訊いたら、間髪入れずに**「ぼくは、ぼくのままがいい」**と答えました。マジか、と拍子抜けしました。ぼく自身もそこまで真剣に質問したわけではなく、なにげない形式的な問いだったのですが、もっと、こう、「アンパンマンになりたい」とか「消防士になりたい」とかあるじゃないですか。けれども、そうか、きみはきみのままでいいんだよなと不意に核心を突かれたと同時に、ほんとうはオトナになってもみんなそういう願いがあるんじゃないかと思った出来事でした。

こどもが社会性や協調性を身につけるのは一般的に5歳くらいだと聞いたことがありますが、たしかに幼いこどもが集まっている公園などで観察していると、それぞれが勝手気ままに好きなことをやっていてカオス状態だったのが、それくらいの時期からこどもたちは「まわりはどうなのか？」を気にしているように思います。さらに小学校に入ってから「いい子」と呼ばれるのが「勉強のできる子」になっていって、そうでない子たちがどんどん自信がなくなっているような気がするのはぼくだけでしょうか…。こどもの頃から、「わたしがわたしのままでいること」はむずかしいのだと思います。

## ──ヴィンテージ市場で得した人は？

いま、ファッション業界ではヴィンテージ市場というものが活況だと言います。ヴィンテージというのは、いわば「昔のもの」で、1940年代のジーンズや1950年代の時計などの服飾品の価格が、信じられないくらい高騰して人気を集めています。たとえば発売当時は数万円程度だったデニムジャケットが、いまでは数百万円を超える値段で取り引きされているそうです。

では、このヴィンテージ市場で儲かっている個人は、だれだと思いますか。

そうです、「安かったときからそれを所持している人」です。では、安かったときに購入した当時、「いつかこれが100倍の値段で売れるから」と買った人はいるでしょうか。そうです、きっといません。ただ「好きだったから」という純粋な気持ちでそれを買って、時間が経っても捨てたり売ったりせずにずっと大事に手元に置いてきたのでしょう。つまり、「ずっとそこにいて動かなかった人」たちが儲かっているということです(ただ、ほんとうに好きな人は、決してそれをお金に換えたりはしていないそうです)。

株などもおなじだと思います。儲けようと思ってトレンドを追っかけつづけているよりも、「あの企業が好きで応援したいから」という想いで投資していれば、長い目で見ればきっと儲かるものではないでしょうか。もしあんまり儲からなくても、「好きで応援していた」という気持ちに嘘がなければ、そこまでガッカリしないものだと思います。なぜなら「じぶんの主観で決めたこと」ですから、だれのせいにもできません。

まわりを気にしてだれかのマネをしているうちは、なかなかしあわせを感じにくいものです。もちろん「憧れ」や「尊敬」は、じぶんのあり方を背伸びさせてくれますから、とても大事なものだと思います。一方で、じぶん以外のほかのだれかになろうとすればするほど苦しくなるものです。それは、「どうやっても、絶対に他人にはなれないから」です。マネはじぶんの頭で考えることをしなくていいですし、追いかけているあいだの夢中さは尊いものなのですが。

**もし憧れの人がいて、ほんとうにその人のようになりたいのならば、その人とおなじことをやっていては追いつけません。**むしろすこし距離を置いて、じぶんだけのスタイルを持つことが大事だと思います。

「学ぶ」は「マネぶ」に由来していると聞いたことがありますが、剣道や茶道における「守破離《しゅはり》」の教えのように、はじめは型を守ってマネをするけれど、いつかは「わたしにはこれが似合っている」とか「わたしはこれがほんとうに好きだ」という境地にたどり着くことが「わたしの自由」を手に入れることだと思いませんか。

## ――立ち上げ当初に「世界一」と謳った

「Supreme」（シュプリーム）というニューヨークで1994年に設立されたファッションブランドがあります。もともとストリート系と呼ばれるようなスケートカルチャーが軸にあるブランドですが、ここ最近ではルイ・ヴィトンやコム・デ・ギャルソンなど国内外のハイブランドやモードファッションともコラボレーションをしていまでは世界屈指のブランドです。

そのシュプリームの日本支社で働いていた知人に聞いたおもしろいエピソードがあります。

設立者であるジェームズ・ジェビアという人が、まだ無名だった当時に「WORLD FAMOUS」（世界の名だたる）というタグライン（ブランドロゴの横に置くスローガンのようなもの）を入れてくれとデザイナーに指示をしていたそうです。それからずっと「WORLD FAMOUS」になるんだと信じて、Tシャツなどにプリントや刺繍をしつづけたのだと言います。

それから20年あまり経って、いまではほんとうに「WORLD FAMOUS」になりました。現在のコレクションにもその単語は入っているので最近シュプリームを知った人たちは「そりゃそうだよね」と思うかもしれません。ところが実際は、まったく売れていない時代から入っているフレーズなのです。

ここでも、主観のパワーを感じます。設立者はまわりがなんと言おうとも、「世界で有名なブランドになるんだ」と信じつづけたということです。

**ことばには、「未来をつくる」という要素**があります。

たとえば、動物にはことばがありません（もちろん本人同士、いや、本動物同士はあると思うのですがいったん置いといて）。ことばがないので、「約束」はできません。「明日の9時に待ち合わせようね」とか「来週までに資料をお送りいたします」ということはできず、あるのは「いま」だけです。ことばは、いま、ここに「ないもの」を「あるもの」にできるということです。なので、事実をごまかすことだってできてしまいます。つまり「嘘」ということです。ことばがなければ、嘘もないですからね。

## ――「それでも」という想いはあるか

以前勤めていた会社の向かいに焼き鳥屋さんがあり、ランチでよく行っていました。10年前から決して安くはないお店だったのですが、原価高騰の影響で行くたびにランチの値段が上がって、ついに焼き鳥丼が１５００円を超えていました。それでも、いつ行っても人があふれて活況なのです。大手チェーンやコンビニ、よそのお店に行けば、まだ1000円以内でランチは食べられる。それでも、ここのお店の焼き鳥を食べたい、という人がいるのでしょう。

この**「それでも」**というのは、ある意味「不合理」とも言えます。

「ゴローズ」という財布やバッグの革小物、アクセサリーなどのインディアンジュエリーブランドが原宿にあります。1956年設立、流行がめまぐるしい原宿において50年以上ずっと変わらず創業者の大切にしていたスタイルを継承しながらいまでも世界中の人びとに愛されているブランドです。ゴローズは、通販や卸販売を一切しておらず、このブランドのプロダクトを買うためには、世界中に一店舗しかない原宿のお店に行くしかないのです。さらに、お店にやっと入れたとしてもほしいアイテムがあることは極めて稀《まれ》。ぼく自身もこの「ゴローズ」のファンで、ほしかったアイテムを10年以上かけてやっと購入することができた経験があるくらいです。もちろん、手に入れたよろこびもひとしおで大切にします。

それは、たんなるお店のいじわるなんかではなく、単純に大量生産ではない手づくりの商品なので在庫をたくさんつくれなかったり、お店側も対面でコミュニケーションを取りながら、買う人のスタイルや人生のステージに合わせて売る相手を選んだりしているからだと思います。

それでも、雨でも雪でも朝から何時間も並んででも、みんなゴローズがほしいのです。いつの時代もお店のまえには行列が毎日できています。人びとは、生涯愛せる「ホンモノ」を手に入れたいがためにわざわざ並んでいるのです（「ゴローズ」はホームページで「ゴローズは、ゴローズ以外で購入したものはゴローズとして認めていません」と書いています）。

買う側にとってはお金はもとより時間がかかりますし、お店側も「もっと儲けたい」ならば通販をしたり価格を上げたりしてもいいでしょう。あきらかに合理的ではありません。そこには、「ゴローズ」というブランドの「売る人と買う人が顔を合わせて会話をしながら商品の受け渡しをする」というブレないスタンスがあるからだと思います。

『HODINKEE』という雑誌でゴローズが特集されており、店員の方のインタビューにこんなことが書いてありました。「店頭は単に商品を受け渡す場所ではありません。じぶんらしいと思える品物を一緒に吟味して、僕らはそれをお客さんに託します。そこから使い続けてもらうことでじぶんだけのストーリーを持ったアイテムに育ててもらえることがとてもうれしいですね」。

「それでも」という常識を無視してしまうような不合理のパワーは、「ひとりの想い」から生まれていると思います。ゴローズで言えば、創業者であり2013年に亡くなった髙橋吾郎さんというひとりのカリスマのスピリットを大切に継承して現在のようなスタイルを守りつづけているのだと思います。


給料は安い。**それでも、**この仕事をしたい。

常識に反している。**それでも、**この仕組みを導入したい。

負けるに決まっていると言われた。**それでも、**勝ってやる。

合理的に生み出された企画書のプランなんかよりも、なによりの原動力はいつも「怒り」とか「悲しみ」とか「希望」とか、そういう「想い」であると思います。そして、その想いはピュアであればあるほど、これまでの常識や合理性とは矛盾していることが多いものです。

あなたにとっての「それでも」はなんでしょうか。そこに、あなたの「主観」がきっと色濃く反映されています。

## 主観のつながりが組織の文化

「カッコいい」

「ダサい」

「かわいい」

「さみしい」


形容詞と言われる、こういった人間の感情。

「カッコいい人」の定義は人それぞれ。それをどう定義するかは人それぞれで、辞書は適当なことを言うけれど明確な基準なんてありません。

ですが、その人にとっての「カッコいい」は確実に存在します。

『池袋ウエストゲートパーク』というテレビドラマで窪塚洋介演じる「キング」はこう言

いました。

**「わるいことすんなって言ってんじゃないの。ダサいことすんなって言ってんの」**

なるほどなぁ、と思います。なんとなくこの人の価値観が伝わってきます。

「あなたにとってのカッコいいって？」

そういった曖昧な、主観とも言える感覚的なものに「そうそう、わかるわー」と言い合える人が集まった組織こそが同志であり、いいカルチャーを生み出すのではないかと思います。

**「カッコいい人って、どんな人？」「どんな人に憧れている？」**

「わたし」という人間の主観を知るために、そんな問いをじぶんや家族や友人、会社の同僚などにも投げかけてみてはいかがでしょうか。ちなみに、この「カッコいい人」の定義にその人の「お金」に対する価値観も混ぜると、よりその人の生き方が表れるものだと思っています。

## 書くのが苦手ではなく評価されるのが苦手

たまに、なのですが、文章講座のようなものをご依頼いただき、「先生」をやることがあります。

そこでは、「人に伝わるすばらしい文章を書くコツとは」…なんて崇高なテーマの授業はやりません。より正確に言えば、やれません。そんな秘訣があるならば、ぼくが教えてほしいくらいで、こうすればうまくなるという法則や正解がないからこそ、どうしたらもっとよくなるか、伝わるのかを考えつづけているのが正直なところです。

ではその文章講座で毎回なにをやっているのかと言いますと、「〇年〇月〇日のこと」というテーマで作文を事前に宿題として書いてもらい、当日までにぼくがそれを読んでコメントをしておいて、授業の時間はぼくからひとりずつに感想を伝えていきます。文章に関する技術的なこともフィードバックしますが、どちらかと言うといち読者としての「この文章が好きです」とか「読んでこころが動きました」といった内容が多いです。

この事前課題の日付は、ぼくが決めた任意の日付でみんなおなじ日。「今年、最も忘れられない一日を書いてください」ではありません。その日が特別な日だった人もいれば、カレンダーが白紙の日だった人もいます。

そこでまず気づいたのが、**「どんな一日も、文章にするとおもしろい」**ということでした。

たとえば、なにもしなかった日でも「なぜなにもしなかったのか?」や「その日なにを考えていたのか?」を書くことができます。「この日のことをあとで作文で書くというつもりで一日を過ごすと、感受性が豊かになって一日がすこしたのしくなりました」という感想の声も受講生からよくとどきます。意図していませんでしたが、なるほどおもしろい、と思いました。

さらにおもしろいのが、この文章講座の受講生のほとんどは初対面。先に宿題の作文を読んで、「こんな人かなぁ」と想像して、当日に顔を合わせて会話をすると、**文章とその人のイメージはおどろくほど合致している**のです。その人がどんなまなざしで社会や物事を見ているのか、どんなことばを普段から使っているのか。この講座をやるたびに、**「こ**

**とばはその人そのもの」**だと実感します。

もうひとつ気づいたこと。それは、**「読んでよかった」と思う文章にはやはり「主観」があるの**です。その日の出来事を客観的に並べていくような文章ではなく、その人がなにを見てどう感じたのか、どんな行動をしてなにを思ったのかといった「主観」が書かれている文章はとても魅力的でした。その人だからこそ書けたであろう発見や、素直で正直な気持ちに胸を打たれるのです。そういった文章には、気づきや学びが読み手にあり、批判や悪口などとはちがって「真剣さ」が伝わり、赤ん坊が泣き叫ぶような生気を感じさせます。

「文章を書くのは苦手なんです」

受講生のみなさんの多くがそう言います。けれど、ほんとうは、**書くのが苦手なのではなく、他人から評価されるのが苦手**なのではないかと、この文章講座をやりはじめてから思うようになりました。

普段、「これを言ったら相手を傷つけるかもしれない」「ヘンなことを言ってしまってまわりからバカにされたらどうしよう」と、気を遣って生きている人が多いのではないでしょうか。
文章を書くということは、まずじぶん自身のこころの内側を静かにのぞきこんで、感じたことや思ったことに目を向け、それを人に伝えるために整理して組み立てたり、外に出ていくことばに洋服を着せたりする行為です。そのプロセスは、「じぶんという主観」と向き合う時間とも言えます。

さらに、この文章講座をやって気づいたことは、**「○○と思う（思いました）」でおわる文章がとても少ない**、ということでした。
たとえば、「この日はこんなことがあった」という客観的な事実や「これはこういうものだ」という説明を書く人は多いです。一方で、「その光景を見てじぶんはこんなことを感じた」や「わたしはこれについてこう思う」といった、「主観」が盛り込まれた文章が少ないのです。

講座の終了後に、作文を書いてもらった方々にひとりずつ感想をもらったのですが、つぎのようなものが出てきました。

「その日を文章にするつもりで一日を過ごしてみたらなんでもない日でもじぶんがいろいろなことを感じていることがわかりました」

「他人の目を気にしすぎてしまっていましたが、じぶんのことを知る意味でももっとじぶんの考えを伝えようと思いました」

「文章を書いたじぶんの見えている世界とそれを読む相手の見えている世界がちがうんだとわかりました」

こういった声が多く、やっぱり「ことばにして書いてみる」というのは、どんな職業の人にとっても発見や学びがありそうです。

## ――じぶんが動けば人は動く

教える立場でありながらぼくがこの文章講座で学んだこと。それは、**書くこと自体が目的になってしまっていて、なにを書くのか、なぜ書くのかが曖昧なまま文章を書いている人が意外と多い**ことでした。

主観は、他人と比べようのないもので、正解のないもの。文章を書くという行為を通じて、他人の目や声を気にせず、じぶんのこころの声と向き合うことができるのではないでしょうか。

データや事実といった「客観」を大事にするシーンもあると思います。けれども、「客」というゲストは、「主」というホストがあってこそで、本来は「主が先」です。まずはじぶんが日々の暮らしのなかで、どんなことを感じているのか。文章を書くまえにそのような「主観」の根っこを豊かに伸ばしていくことが大事なのではないかと考えます。

どんなに無口で黙っている人でも、カラダのなかはことばであふれているはずです。だれかに発信していなくても、**こころが動いている人がこの世にたくさんいます。その豊かな気持ちを、素直に、正直に**（それがむずかしいのですが）**ことばに表現することができたら、人のこころに伝わるんじゃないか**と。

それはぼくたちのようなコピーライターの書く企業の広告メッセージや、ＳＮＳを通して読むだれかの文章でも、おなじことが言えます。ほかの企業でも言えるようなありきたりなことば、批判をおそれた美辞麗句のようなことばを読んでもこころは動きませんよね。

一方で、誠実な「想い」があったり、相手を思いながら書かれていたり、勇気を振り絞って書かれた文章は人のこころを動かします。

## 好きこそ最強

高校ラグビー部のヘッドコーチを4年間やらせてもらっていたことがあります。

素人集団の高校生たちを指導するにあたってずっと意識していたことは、「ラグビーを好きになってもらうこと」でした。

そのとき16〜18歳の子たちと接していて大きく学んだことは2つで、

①主体性の引き出し方

②言語化の大切さ

でした。

ひとつめは、指導をスタートした1年目は、アレコレ学生たちに理論を詰め込みすぎたり、名だたるコーチを多数召聘したりして、「与えすぎて」しまいました。そのせいか、実際の試合でも彼ら自身の頭で考えられず、前年度とおなじ2回戦負けでした。

2年目以降はそこから学んで、とにかく、「ラグビーを好きになってもらうこと」をテーマにしました。「オレが教える」でも「オレがコーチする」でもなく、「彼らにみずから学んでもらう」ために。好きにさえなってもらえれば、じぶんたちで考えて主体的に動き出してくれる。そう考えて、まずは「好きなラグビー選手」をひとり見つけてきてもらい、その選手のどんなところが好きなのかをシートにまとめてきてもらいました。

しばらくやってみると、実際に与えなくとも求めてくれるようになり、それからもっと好きになるような答えをこちらから提示してチームが動き出しました。結果も最終的には3年目でベスト4。最後の試合は、全国大会に行った強豪に5－15まで迫りました。向こうは中高一貫でスポーツ推薦のある学校。こちらはガリ勉のほぼ100％素人集団からのスタートでした。

いわば、「オレの言うことを聞かせる」から「コイツらにラグビーを好きにさせる」への変換です。

また、ラグビーにおける言語化能力はとても重要です。サッカーや野球に比べて、グラウンド上で味方との距離が近いことがその理由であると思います。基本的には手でパスできる距離に味方がいますし、常に味方のサポートをするために密集しています。そして試合中は、意思決定した内容を、伝言ゲームのようにチーム全員に数秒以内に伝達して、みんながひとつの生き物のように動くことが求められます。オンプレー中は、「決定↓伝達↓実行」を絶えず繰り返しているのです。そして、この「決定」と「伝達」に、ことばが必須です。じぶんの頭で考えて、その考えを瞬時に隣にいるチームメイトに「つぎにどんなプレーをするか」などの意思疎通をする必要があるのです。

最近の若い人は…と言うつもりはありませんが、よく言えば従順で素直な子たちなのですが、とにかくみんな、じぶんの考えや意見をことばにして伝えることが苦手だなと感じました。同調圧力に負けてしまったり、そもそも内面を言語化する習慣があまりなかったり。

学生たちには「人に伝えることば」についてよく指導していました。**相手の気持ちを考**

**えること。ことばを信用してもらうためにいつも誠実であること。伝わることばを見つけるために相手の話を受け止めること、気になったことを素直に質問すること、**などです。

そのようなことを理解、実感、実践してもらうために、学生たち全員に手帳を買ってもらい、その日の出来事や感じたことを毎日記入することを徹底してもらいました。そのおかげか、みんなの言語化能力は格段に上がっていたと感じます。

ラグビーというスポーツは「止まっている時間」がほとんどなく、常に一瞬ごとの判断やコミュニケーションが求められる競技なので、じぶんの考えを端的に伝えること、相手の意図を瞬時に理解することが大事です。こういった「グラウンド以外」での言語化というトレーニングも、グラウンド上でのプレーに大きく活かされたのではと思います。

## ―― 人に話を聴くと主観の広大さを知る

最近、10代や20代の人たちに会うと「おすすめのYouTubeを教えてもらえますか？」と訊いています。

すると、9割くらいが「へぇ、それ知らない！」というものを教えてくれます。もしかすると、「好きな本なに？」とか「好きな映画は？」と尋ねられてちょっとひねったものを答えたくなる心理も働いているのかもしれませんが、ま、たいてい知らないものです。YouTubeって、世界中のコンテンツが無限にあるんだなぁと思い知らされます。

うちにはテレビがないのですが、たまに友人の家に行ってテレビを観て感じることが、「じぶんが見たいものを見ているわけじゃないな」ということでした。ひと昔まえまでは（平成時代？）、両手で数えられるくらいのチャンネルしかなくて、そのなかのどれかしか選べませんでしたから。

一方で、YouTubeは、サーフィンの動画が見たければ、世界中の海のサーファーたちを見られますし、好きなアーティストや芸人のコンテンツだって、山ほど見ることができる、そういう時代なのだと思います。「その人の興味のあるものしか見られなくなっている」と批判的に言う人がたまにいますが、その人だってきっと、嫌いな食べものはわざわざ食べないで、好きなものを食べて生きていることでしょう。

## 「好きなことで、生きていく」

すこしまえ、YouTubeの広告に、こんなコピーがありました。当時は、「ユーチューバーたちのセリフ」だと思っていました。けれど、ちがったんだな、と。これは、「受け手」である視聴者のセリフでもあったんですね。

人に「あなたの好きなもの」の話を聴くとおもしろいです。食べ物でも、お店でも、音楽でも、YouTubeチャンネルでも。じぶんの知らない世界のほうがずっと広いんだというあたりまえのことを思い出させてくれます。世界中のあらゆる情報にアクセスできるのがインターネットですが、じぶんのスマートフォンの画面に表示される情報は、とても限られた狭い部分の、しかも中立的なグレーの情報はあまり存在しない黒か白かの極端な世界かもしれない、ということを意識しておくことが、ＳＮＳと向き合う姿勢として大事だと思います。

# 第 2 章

# 主観の敵

## あるがままでいることのむずかしさ

主観とは、「あるがままのわたし」とも言えます。

そして、それを大切に生きていくというのは、みんながそうありたいけれども、実際はとてもむずかしいことです。

その証拠に、というほどおおげさな話ではありませんが、和洋を問わずにいつの時代も「そのままのあなたでいいんだよ」というメッセージが人びとによろこばれています。

**『Let It Be』**（ビートルズ）は、タイトルがそのまま「ありのままで」というメッセージですし、**『Born This Way』**（レディー・ガガ）も生まれたままの姿で生きていこうぜ、というメッセージです。

**『ケセラセラ』**も、「明日は明日の風が吹く」なんて訳されることがありますが、あんまり考えなくてもいいんじゃない？　というメッセージだと思いますし、Mr.Childrenのヒット曲**『名もなき詩』**でも、「あるがままの心で生きられぬ弱さを／誰かのせいにして過ごしている（中略）あるがままの心で生きようと願うから／人はまた傷ついてゆく」とあります。

漫画の**『天才バカボン』**でも「これでいいのだ」とこれまたずいぶんとストレートに言ってくれていますし、料理研究家の土井善晴さんの**『一汁一菜でよいという提案』**というベストセラーも「なにも無理しなくたっていいじゃないか」というメッセージです。日本の飲料メーカーのサントリーが大切にしている価値観**「やってみなはれ」**も、「考えるよりまずやれ」と人の背中を押すメッセージです。

**「わたしらしくをあたらしく」**というスローガンのルミネなどのファッションブランドの広告メッセージも、そのほとんどが「わたし」を大切にしよう、という核があるように思います。

ちなみに「禅」の発祥はインドや中国と言われていますが、日本スタイルの禅のほうが世界中で広まったのは、「なんでもアリ」の寛容さだったそうです。たしかによく言われるスパゲッティ（パスタと書いたほうがいいのでしょうか）の幅広いアレンジとおなじように、日本には「なんでもアリ」な異種格闘技感がありますよね。

このように、世の中を見渡してみると「まわりの目なんて気にしなくたっていいんだよ」「がんばってなにかをしようと抵抗しないでいいんだよ」「あなたはあなたでいいんだよ」というメッセージがいかにあふれているかわかります。

そしてそれは裏返して考えてみれば、いかに世界中の多くの人が「そうもいかない」で生きているかということです。

人間がよりじぶんらしくしあわせに生きるための敵は、**「まわりを気にすること」**だと思います。流行や他人の目だったり、それを気にしてしまうじぶん自身のこころだったり。

じゃあ、いったい、だれの主観を信じてそれに従って生きていけば、じぶんは「これでいいんだ」と満足できるのでしょうか。そうです、その答えは「結局、じぶんを信じるしかない」。だからこそ、「ありのままのあなたで」という結論に至るのだと思います。

たとえば、いわゆる高学歴の人が「学歴なんて無意味だ」と言えば、「それはあなたには学歴があるからだ」と言われる可能性がありますし、反対に、学歴のない人が「学歴なんて無意味だ」と言えば、「あなたに学歴があってから言え」と言われる可能性だってあります。

つまり、なにを言ったって、ツッコもうと思えばどこにでも隙はあるので、ツッコまれてしまいます。とくに、日本ではたのしそうに自由に（見えて）生きている有名人は、かならず批判的にツッコまれる運命にあるような気がします。あるいは、他人を否定することでじぶんを肯定しようとする人がいます。

だったら、いっそ、**「なにを言っても、批判する人はいるんだから、いっか」**と頭の思考をシフトしてしまうほうがラクです。

それがむずかしいというのは重々承知なのですが、「わたし」という主観をもっと信頼してあげてもいいのだと思います。みんなに好かれようとしても嫌われてしまうものですから、「わたしのことをわかってくれる人だけでも、わかってくれたらいい」というマインドを持てたら、すこしだけ「わたしはわたしのまま」で生きられるのかもしれません。

## ――じぶんに誇れるじぶんですか？

トップアスリートの方と話をする機会がたまにあります。

プロラグビー選手の川村慎選手が話してくれた、10年以上もつづいた「苦しかった時期」を乗り越えた話を紹介します。

彼がはじめに入団したチームには、おなじポジションの2つ上の先輩の絶対的なライバルがいたそうです。そのライバル選手になかなか勝てず試合にスタメンで出られない。チームの掲げるスタイルにもうまくフィットできない。チームとしてもリーグ最下位の戦績がつづいていたような状況で、ほんとうにつらかった10年間だったと振り返ります。思うようにいかない結果に苛立《いらだ》ち、チームメイトのだれとも話さずじぶんのなかに塞ぎ込んでしまった時期もあったと言います。

そして、そのチームを12年目に戦力外通告されて、退団することに。ほかのトップカテゴリーのチームから声がかからなかったらもう引退しようと考えていたところ、あるチームが声をかけてくれて移籍が決定。そしてなんと、新しいチームでのワンシーズン目で、チームはリーグで過去最高順位という結果を残し、川村選手もその半分以上の試合に出場したのです。

「いまはなんのためにラグビーをしているのか明確で、毎日が充実しています」……川村選手はそう言います。

ぼくは、ちょっといじわるだけれど、「もしチームや個人として結果が出なくても、そう思えていたと思いますか？」と訊きました。すると、「イエス。はっきりと言えるのは、いまはそういう次元でラグビーをしていないんです。画家の岡本太郎が『絵はうまいヘタじゃなくて、全身全霊を賭けたかどうか、じぶんがそこに出し尽くせたかどうか、そういう主義でやっている』というようなことを言っていたんですが、じぶんが毎日全力を出し尽くせて、ヒリヒリするような環境で勝負できているこの瞬間、この場所が好きなんです。いまはたとえだれがライバルとしてきても、ラグビーをできていること自体がたのしいという気持ちなんです。『これがじぶんのやりたいことじゃん！』って思えているというか。勝敗は結果のひとつで勝ったら勝ったでもちろんうれしいし、勝つためにやっているけれど、どこまで行ったらゴールって言えるのか。ベスト8が目標ならつぎはベスト4、そのつぎは優勝したい、そのあとは連覇しないといけない…日本代表の選手になるのがゴールだとしても、実はそれはスタートラインとも言える。もちろん試合に出たいし、出られないと悔しいけれども、それすらも結果のひとつで『だからなんだ』って感じなんです」と答えてくれました。

いつからそのようなマインドに切り変わったのか、きっかけを尋ねました。

「変わったきっかけはそういう『ライバルに勝てず試合に出られなくて悩んでいる』っていうほんとうのじぶんのこころのなかを、勇気を出してチームメイトに吐露できたことでした。塞ぎ込んでだれとも話していなかった時期にたまたま飲み会で数人の仲間に勇気を出して話したら、じぶんの話を聴いてくれたまわりの人が、『ライバルにこの部分では勝ってると思う』『こういう強みを活かして勝負できるだろ』と言ってくれました。おかげで、他人を通じてじぶんのことを客観的に知ることができるようになったし、強みを認めてもらえたうれしさがありました。なによりも、じぶんがそういうことで悩んでいることを知ってくれるチームメイトができたことがじぶんの気持ちを軽くしてくれました。それでだんだんと他人からの評価やライバルの存在という外部の存在ではなく、『じぶんのモノサシ』を意識するようになって、パフォーマンスが上がったんです」

ぼくはこの話を聴いて、「チャレンジ」ということは、勇気を出すというプロセスそのもので、その結果がどうであるかは関係ないんだということを感じました。壁に背を向けずに受け容れて、壁に向かって踏み出していく姿勢。それこそが「チャレンジ」であり、そこには他人の評価やモノサシは存在しておらず、「じぶんがその壁に向き合ってやりきれたかどうか」という主観がすべてなのだと。

そして、川村選手の言語化能力の高さにもおどろかされました。いわば、彼は「ことば」によってじぶんの壁を乗り越えて、「ことば」によってじぶんの未来を切り拓いた人だと思います。

それで思い出すのが、2019年に放送された『ノーサイド・ゲーム』（TBS）という日曜劇場ドラマの広告ポスターです。ご縁があって、ぼくはこの広告ポスターのキャッチフレーズを書く機会をいただき、こんなコピーを書きました。

**「誇れる自分であれ。」**

大泉洋さん演じる主人公・君嶋隼人は、大手製造メーカーに勤める会社員として、会社のラグビー部の存続、再建のために奮闘します。詳しいドラマのあらすじは割愛するのですが、主人公は、嘘と裏切りが渦巻く世界で最初から最後までみずからの信念を貫きました。私利私欲ではなく、人としてカッコいいかどうかというモノサシで。その姿勢は、他人から褒められるためにとか、叱られるからとかではないものであり、その高潔さのようなものは「じぶんがじぶんに誇れるかどうか」だよな、と思いました。なぜなら、だれもが生まれたときから悪者や犯罪者ではなく、育ってきた環境や置かれた立場によってその人は悪行に走ってしまうもので、みんなもともとは、なにが正しいのか、なにがカッコいいのかということは知っていて、ズルやわるさをしているじぶんというのをいちばん知っているのは、その人自身だと思うからです。そんな想いから、先ほどのコピーを書きました。
ちなみに「であれ」なんていう語尾は、新聞の社説の見出しのようで威圧感があり普段のぼくなら使わないことばなのですが、それだけの強いメッセージを発している物語だと思ってそのようにしました。

**「がんばっていれば、かならずいいことがある」**

世間知らずの能天気と思われてしまうかもしれないのですが、ぼくはこころからそう信じています。報われるタイミングが思った通りじゃないことはたくさんあっても、未来にはかならず報われる日がくる、と。なぜなら、腕立て伏せをしていたら胸と腕の筋肉がつくように、マジメにやっているのならその結果がどこかに現れてくるのが自然だと思うからです。そして、そういう人のことを見逃さない人がかならずいるからです。おなじようにがんばっている人が、がんばっている人を見つけてチャンスを与えたり評価をしたりする日がくるものです。
だからこそ、じぶんの主観でもいいので、じぶんの誇れるじぶんであることにフォーカスすることが大事だと思うのです。

## 「いま　ここ　じぶん」

「人間だもの」で有名な相田みつをさんの、このような書を見たことがあります。

メンタルに悩むほとんどのアスリートたちが、「結果が出なかったらどうしよう」「スポンサーに申し訳ない」「SNSで匿名のだれかに批判されている」といった、「未来」や「他人のだれか」のことを気にしてしまって、こころの不調に陥ってしまう。だからこそ、「いま　ここ　じぶん」に意識をフォーカスすることが大事です。

動物や昆虫は、常に「いま　ここ　じぶん」（じぶん、はどうだろう？）だと思うのですが、ことばを扱う人間は、それがなかなかうまくいかないものです。だからこそ、「いま　ここ　じぶん」に向き合うためのトレーニングをすることが、メンタルトレーニングなのだと思います。アスリートのみならずすべての人にとってメンタルというものはスキルであり、鍛えられるものであるという考え方です。

## ――「よわいはつよいプロジェクト」

2020年に「よわいはつよいプロジェクト」という、トップアスリートからメンタルヘルスの啓発をしていくプロジェクトを日本ラグビー選手会と国立精神・神経医療研究センターの共同で立ち上げました。「カラダとおなじようにメンタルも屈強そう」に見えるラグビー選手たちが、己の「つよさ」を鍛えていくということは「よわさ」と向き合うことであり、「よわさ」とは「つよさ」なのであるということを伝えていくプロジェクトです。

ホームページ（yowatsuyo.com）も立ち上げ、国内外の一流アスリートのみなさんからも賛同のメッセージをいただいたり、ラグビー日本代表選手たちなどにインタビューして、「つよくてすごそうな人たち」の「よわさ」がたっぷり綴られた記事などを掲載しています。

立ち上げた当初、その理念のようなものとしてこのような文章を書きました。

**まちがいを認めること。**
**嘘のないじぶんであること。**
**まわりの目をおそれないこと。**
**孤独とうまく付き合っていくこと。**
**そんなじぶんのよわさに真正面から**
**向き合うには誰だって勇気がいる。**
**誰もがよわさをさらけ出せて、**
**よわさを受け容れられる社会へ。**

ホームページの冒頭にもこの文章を掲げているのですが、非常に多くの共感をいただいて、「お問い合わせ」から毎月たくさんの感想メールやメディアを問わない取材依頼、民間や行政からの講演依頼のメールをいただきます。

企業の人事の方と実際にお話をしてみると特徴的なのが**「社員たちが『つらい』『できない』と言えずに困っています」**という内容が非常に多いことです。

とくに、成果主義のカルチャーのつよい外資系企業や、旧帝大出身者などのいわゆる「エリート」たちがたくさん集まる大企業などにこの傾向が強いです。人事部のみなさんが異口同音におっしゃるのは、「これまで大きな失敗をしたことない若手社員たちが一度挫折すると立ち直るのが極めて困難」「じぶんは『できない人間』だと認められない、またはそう思われたくない気持ちが働いてこころが崩壊する寸前、または崩壊してからやっと人に話す社員が多い」という内容です。

たとえば、あなたはつぎの一文を読んでどのようなイメージがわきますか。

## 「弱音を吐く人間」

おそらくほとんどの人が、「メンタルがよわい人」であったり「カッコわるい人」というイメージがわいてくるのではないでしょうか。「武士は食わねど高楊枝」ということわざがある通り、日本人のなかのDNAにSAMURAIの清貧な高潔さとも言える「つよい人の理想像」も刷り込まれているのかもしれません。

ですが、わたしたちの提唱している考えは「よわいはつよい（通称「よわつよ」）」です。「急がば回れ」ということわざのように、価値観の転換を起こしたいのです。いわば、おなじ文字を読んで受け取る「意味」を変える、ということです。いま、「あたりまえ」とされる考え方も、もともとは人間がつくったことばですから意味や解釈を変えることができます。

あらためて、「弱音を吐く人間」について、一歩踏み込んで考えてみましょう。「弱音を吐く」ということは、ほんとうにわるいことなのでしょうか？

たとえば、こんなふうに捉えることもできませんか。

「じぶんがパンクするまえに早めにヘルプをチームに共有してくれたほうが、みんながそれをカバーするように動けるので助かる。お金はなんとか生み出すことはできるけれども、時間だけはだれにも巻き戻せないから。勇気を出してじぶんのプライドよりもチーム全体を優先してくれた」

「ふつうだったら言いにくいようなことを話してくれるなんて、こちらのことを信用してくれているからだと思う。正直な気持ちをこちらに開示してくれたから、よりその人のことを信用できる」

「じぶんがいまどんな状態なのか、どんな状況に置かれているのかを客観的に把握できているなんて自己認識力の高い人だ」

「そもそも完璧な人間なんていないように、あの世界的な大富豪だって、あの有名なアーティストだって、生きていればだれもがなんらかの不安やこころの痛みを感じたり壁にぶつかったりするもので、それを『特別なこと』として隠そうとしなくたっていいよね」


…すこし飛躍させすぎでしょうか。「こんなふうに前向きに捉えてくれる人なんて身近にいない！」と思われたでしょうか。けれども、実際に「弱音を吐く」ことは、人に迷惑をかけているようで、あまりかけていない（ことが多い）のかもしれません。

そのように考えをめぐらせてみると、「弱音を吐く」ということに対してネガティブなイメージを持っているのは、実は「じぶん自身だけ」なのではないか？　ということに気づきます。「どうしてまわりは助かることが多くて、じぶん自身もヘルプを出すことでこころがすこし軽くなるかもしれないにもかかわらず、『できません』『つらいです』と言えないのだろう？　じぶんのプライドが邪魔しているだけかもしれない」と。

このように考えてみると、ひとつの仮説が浮かびます。

**主観の敵って、「じぶん」なのではないか…？**

## ——無意識のバイアスを意識する

「よわいはつよいプロジェクト」について、もうひとつ補足しておきたいことがあります。

このプロジェクトの理念をじぶんたちの会社にも広めていきたいという会社で講演会のようなワークショップをやると、このような意見がかならず出ます。

「少数派の人、よわい立場の人ばかりをケアすることで、反対にトップや上司といった上に立つ者たちの立場がなくなっているのではないか」

まさしく「よわいはつよい」である一方で、「つよいはよわい」でもあるのです。つまり、つよそうに立ち振る舞わなければならない人もいたり、上の立場だからこその悩みもある、ということです。これは、おっしゃる通りです。

わたしたちには、「こちらのほうが可哀想」という無意識の固定観念があります。たとえば、「弱冷房車」はありますが、夏に「強冷房車」や冬に「弱暖房車」はありません。これは「暑い」と言っている人よりも、「寒い」と言っている人のほうが助けなければならない、という無意識のバイアスがあるのではと思います。オフィスやカフェなどでもそうではないでしょうか。汗っかきの人は煙たがられて、カーディガンを羽織っている人はケアしてあげよう、というムードがありませんか（ちなみにぼくは前者のタイプです）。

立場のよわい人をケアしてフラットにしているつもりでも、ほんとうの「よわい人」ではなく「よわそうに見える人」ばかりをケアしているのかもしれず、それも時代や環境によって変わるものです。

組織というものは、人間で構成されている以上、「完璧な形」はないです。常に揺れ動くものであるからこそ、クルマやピアノを定期的にメンテナンスするように、目を配り耳を傾けて点検しながらその都度「いいと思える形」をつくりあげていくことが大事なのではと思います。

ぼくの好きな映画のひとつに『キャプテン・フィリップス』という大型船がソマリア沖でソマリア人の少年たちの海賊に乗っ取られるというノンフィクション作品があるのですが、この映画のなかで主人公の大型船の船長であるフィリップス（トム・ハンクス）が海賊のリーダーに向かって、**「だれにだって上司はいるさ」**と言うシーンがあります。犯罪（海賊）に手を染めている少年たちには長老という上司がいて、その長老にも「これをやれ」と脅されている存在がいる、ということです。じゃあ、ほんとうにわるいのはだれなんだ？　と考えさせられます。じぶんが「悪」と決めているものは、ほんとうに「悪」なのだろうか…？　と。

無意識に「この人はこう」「この国はこう」と決めつけることは、人間として思考のカオスを生じさせないための必要な知恵であり避けられないものだと思っています。ですが、じぶんの主観には、そういう無意識があるんだということを意識することはとても大事なことだと思います。

# 人はことばで悩みことばに救われる

「じぶんのことを人に話すのがあまり得意ではない」

こちらも「よわいはつよいプロジェクト」での講演会でよく寄せられるご相談で、その理由を尋ねると**「できない人間（能力の低い人間）だと思われるのが不安」**とおっしゃる方が多いです。とくに、転職や部署異動で職場の環境が変わったタイミングなどは、そのような心理がはたらいて、他人に相談できなかったり、できないことを正直に言えなかったりするものです。ですが、時間が経てば、ダメなところはまわりの人にバレますし、反対にいいところもちゃんと伝わっていく。ならば、はじめに「わたしはできるキャラ」でいて、みずからの首を締めてしまうよりも、むしろ「わたしは大したことないんです」くらいのほうがラクなのかもしれません。

「一発屋」やスキャンダルなどでメディアに出なくなった有名人が、あとから這い上がってくると、好感度ランキングの上位にくることがよくありますよね。これは、一度、大恥をかいたことや評判が落ち切ったことで、「もうこれ以上の底はない、あとは上がっていくだけ」とポジティブな思考に切り替わって、ある意味で「期待されていない」という解放感から、よりじぶんらしく堂々とキャラクターを立たせていくことができているのかもしれません。世間の目が、**「減点方式」ではなく、「加点方式」**になっていると言うのでしょうか。

子育てをしていても、部下をマネジメントしていても、どうしても「減点方式」の目線になってしまうものです。なにができていない、なにが足りていない、という。ですが、**「なにができた？」**というプラスの部分に目を向けるだけで、「言われた側」のパフォーマンスは上がるものです。

先ほどご紹介したラグビー選手の川村慎さんは、「もともと人にじぶんの悩みを話す奴なんてヨエー奴だと思っていた」と言います。つづけて、「悩んでいることも含めて勇気を出して他人に伝えることがほんとうに強くなるために大事だった。じぶんのことを知るためには、他人からじぶんがどう見えているのか知ることも重要だったので」と言います。

「よわさをさらけだせる人はえらい！」という価値観の逆転した風土づくりを、とくに上の立場の人からおこなっていくことが大切なのだと「よわいはつよいプロジェクト」の活動をしていて実感しています。

風土とは「風と土」と書きます。まさしく、そこで生きている人たちがいる風や土といった環境がよければ、そのなかで生きる人たちはみんな元気になると思いませんか。

また、とあるキャビンアテンダント（ＣＡ）の方にお話を伺ったときに、興味深い話がありました。

ＣＡの世界は、「一期一会」なのだそうです。つまり、その飛行機のフライトを担当するチームは、機長であるキャプテンを含めて搭乗する数時間前に「はじめまして」をするのがほとんどらしいのです。

だからこそ、「瞬時にチームワークを発揮すること」が求められます。

そのとき、出会ってすぐのミーティングで**「わたしは過去にこんな失敗をしたことがあるんです」**というエピソードをみんなで共有し合うと、一気にチーム力が高まるという話を教えてもらいました。いわば、「ダメだったじぶんをさらけ出し合うこと」で、おたがいの結束力が高まるということです。まさに「よわさ」が「つよさ」を生むんだなぁ、とうれしくなったエピソードでした。

書く。読む。話す。聴く。ことばの使い方はシーンそれぞれですが、やはりことばによって人は悩むケースが多いものです。

ですが同時に、それを解決できるのもまた「ことば」であると思います。起きてしまったことや体調やこころの変化など、「事実」は変えられないもの。ですが、「解釈」は変えられます。「解釈」とは、いわば「わたしはこう思う」という「主観」です。

不安や悩みをどのように捉えて、そこにどのような光を見いだして、どのように前を向いて一歩を踏み出していくのかを描いていける道具も「ことば」なのです。

## ――ワガママだっていいんだよ

「だれかのために」という考え方は、献身的という意味合いで「いいこと」であることは疑いようはありません。じぶんよりも他人を優先するということは、簡単じゃありませんし、そういう人に「いいこと」が訪れるものです。

けれど、その人が「人のために」とがんばりすぎてしまって、倒れてしまったら元も子もありません。あなたがだれかのためになにかをやるためには、「あなたが元気でいること」が前提ですから。

では、「だれかのため」かどうかなんて気にせずに、「じぶんのために」やりたいことだけをやっていたらどうでしょうか。「ワガママ」と言われるかもしれませんよね。

でも、です。「ワガママ」は、「我（わ）がまま」ということでもあります（諸説あり）。「我」というものは、もともとどんな人間にも実装されているもので、「ワガママ」とはそれを無視せず尊重して、「あなたのままでいること」ということです。「あなたは、あなたのままでいい」。これはポエムでも歌詞でも、人気の名言投稿サイトのようなものにもよく出てくるフレーズです。反対に、このフレーズがこれだけ人びとに愛されているということは、ほとんどの人はその人らしく生きられていない、ということの裏返しだと思います。

そう考えてみると「あなたは、あなたのままでいい」と「我がままでいい」は、ほとんどおなじことを言っているのではないでしょうか。

「ワガママ」ということばのイメージがどうしても、スーパーの床で寝っ転がって「買って〜!!」と泣き叫んでいるこどものようなイメージがあるので、じぶんの思った通りにならないと不機嫌になってしまう人だと思われてしまうのですが、あんまり空気を読みすぎているとほんとうに空気になってしまうよ、というセリフもあるように、もうすこしだけじぶんの考えや意見を大切にしてみてもいいのではないでしょうか。

「あなたはあなたのままでいい」というセリフがこれだけ世の中の「勇気の出ることば」として世界中で愛されているのですから、「ワガママだっていい」というメッセージも、もうすこし受け容れられていってもいいのではと思います。

## ―― 本田宗一郎の主観力

稀代の経営者と呼ばれるような人というのは、あきらかに「みんなとおなじ」という価値観から大きく逸脱して個性を発揮してきた、ある意味で社会においては非常識な人たちであると思います。言わば、「主観の権化」です。

HONDAの創業者である本田宗一郎さんの近くにいた方から聞いた彼のエピソードは、すべてがぶっ飛んでいました。間接的に聴いている話なのでどこまで正確なのかはさておき、こどものような素直な感情表現、オトナとしての技術への徹底的なこだわり、「ありのままに生きていく」とはこういう人だろうなと清々しくすら感じました。

たとえば、F1のレースで負けると、「なんでうちのエンジンが1番じゃないんだ」と大泣きしていたそうです。レースに負けたのがものすごく悔しくて、当時「オデッセイ」の生産に注力していた時期に「工場を止めろ！　F1で勝てなかったら、潰れてもいい！」と言い放ち、朝霞市にあった「オデッセイ」の工場の優秀なエンジニアたちを集結させて、F1で優勝するためのエンジンを開発。結果、アイルトン・セナがHONDAのエンジンで優勝。もちろん日本市場の業績はガタ落ちしたが、ブラジル人の英雄となったセナが応援していたあのHONDAということで、欧州市場が大ヒット。F1の欧州における影響力は大きく、結果的にHONDAは海外市場で大成功…。

ほかにも、自宅でアイディアを考えるのに没頭していたとき、家のまえを豆腐売りが通りかかった。それがうるさくて、妻に「ぜんぶ買い占めて静かにさせろ！」とキレていたとか、鈴鹿市にHONDAがサーキットをつくった理由は、全国から誘致があったなかでほかの市はどこも芸者たちを呼んだりして本田宗一郎をめいっぱいに接待したが、鈴鹿市だけはおしぼりとお茶一杯だけでもてなしたその姿勢や価値観が気に入ったから、などなど…。

すべてのエピソードが、結果的にうまくいったからこうして美談として語られているのかもしれませんが、順番としてはやはり本田宗一郎さんのように「あるがまま」に生きて、じぶんの主観に正直に、目のまえの物事を判断して選択してきた結果なのではと思います。人とおなじことをやっていたら、人とおなじような結果しか得られないのは言うまでもないことです。

**「世の中の大半の人たちがやっていなくても、それをやるか？」**

そんな自問をすることで、ほんとうにじぶんはなにがやりたいのか、じぶんらしい生き方とはなにかを導き出せるのかもしれません。

## ――「和を以て尊しとなす」の本意

平尾誠二さんという伝説的でありカリスマ的なラグビー選手がいらっしゃいました。佇まいも紳士的でカッコよく、引退後には指導者としても非常に優秀な方で、日本ラグビー界の大きな礎をつくられた方のひとりです。

この方は「ONE FOR ALL, ALL FOR ONE」という英語を、「ひとりはみんなのために、みんなは**ひとつ**のために」と訳していました。

ふつうなら、「みんなは**ひとり**のために」のところを、どうしてわざわざ「ひとつ」にしたのか。

「全員が**ひとつの目的**に向かって、ひとりひとりが強みを持ってまわりに貢献し合うことが大事。だれかひとりのために全員がカバーしているようなチームは強くならない」といったことを述べていました。

「和を以て尊しとなす」という故事成語がありますが、この意味は「みんなおなじでいること」ではなく「みんなちがうからこそ協力し合うこと」の価値を説いているものです。「みんなおなじ」ではなく、「みんなちがう」が前提なんですよ、と。

友人や後輩から「いま付き合っている人と結婚する」という話を聞くと、ぼくはこんな話をよくします。

「付き合ってはじめのうちは、おたがいの『おなじところ』を見つけていくけれども、結婚してからはおたがいの『ちがうところ』が目についていくものだから、『相手はじぶんとおなじだからいい』よりも、『相手はじぶんとちがうけれどいい』と思えているかどうかが大事だよ。ただ、喜怒哀楽のセンサーだけはおんなじのほうがいいと思う。なにを見て涙が出るのか、なにを見て笑うのかがおなじかどうか」

おなじだと思っていると、ちがうところに目がいく。ちがうと思っていると、ささいなおなじことに「あ、おんなじじゃん」とうれしさを感じることができます。

そして、ちがうからこそ、補い合っていける。そして感謝や尊敬も生まれてくる。それでも、「どうしてわかってくれないの？」と思うことがしょっちゅうありますが、そういうときは、「なんだ、言ってよ〜！」ではなく、「わかってあげられていなくてごめんね」「大変だったんだね」とおたがいに寄り添えるかどうかが大事だと思います。

話がすこし逸れてしまいましたが、「みんなちがってみんないい」ということです。そもそも、「みんな」という人間はいません。そこにふたりいれば、まったくちがう生い立ちや価値観や考えがふたつあるわけです。「ひとり」がベースです。

世の中の答えのない問題で意見がわかれてしまうときというのは、たいてい「主語が大きすぎることが原因」なように思います。

「男は女にオゴるべきか？」「賃貸と分譲どっちがいいか？」…なんでもいいのですが、いずれも主語が大きく、すべてのほんとうの答えは「人それぞれ」だと思います。どのくらいのお金を持っているのか、どこの土地なのか、何歳なのか、まさに人それぞれです。さらに言えば、その大きな2択以外の条件が重要です。「駅まで10mと100m、どちらが歩いて早く着くか?」という質問のようなもので、その道のりに開かずの踏切があったり、竹下通りのような人混みがあったりすれば、答えは変わります。

よく仕事をしていて「みんなで決める」ことがありますよね。そうすると、どんどんアイディアの角が取れていってつまらなくなってしまったり、少数派だったけれども本質的だった意見が消えてなくなってしまったりすることがあります。

意見は「みんな」から出してもらうのはいいけれど、やっぱり最後に決めるのは「ひとり」のほうが、物事がうまくいくことは多いように思います。ただ、最後はひとりが決めるためには、その組織やチームに「信頼関係」というベースがあることが前提になるのですが。

いきなりですけれども、「満員電車が好き」という人はいないと思います(好き、という人も…いるのかな)。

勝手な想像なのですが、人類の長い歴史のなかで、まったくの他人同士と肌が触れ合うような距離感でぎゅうぎゅうにパックされるような状況はあまりなく、どこまでも先が見える地平線に浮き沈みする太陽を毎日眺められるような雄大な土地で、人は生きてきたのだと想像します。

いろいろな理由で「この場所のほうがいい」という価値観が生まれて、みんながそこに集まり、みんながおなじ時間帯に電車に乗って移動をするというカルチャーが数十年かけて日本の都心部に完成したのだと思います。

けれど、なぜ満員電車に乗るのでしょうか？

考えてみると「みんなとちがってもいい」というスタンスならば、満員電車には乗らないで済むのではないでしょうか。みんなとおなじような生活リズムで、みんなとおなじような考え方で会社を選んで働いているからこそ、みんなとおなじ満員電車に乗っているのではないでしょうか。

日本は「ムラ社会」と言われていますが、みんなの「ムラ」をなくそうとしている「ムラなくし社会」であると感じます。**「わたしは我慢しているのに、どうしてあなたは我慢**

**しないんですか？」**というような、負への巻き込みの力も強いのではないかと。厳しく育てられた人がなかなか人をやさしく育てられないように、これは連鎖するものだと思います。

**「人はみんなちがう。だから、人とちがうことをおそれない」**

口で言うほど簡単なことじゃありませんし、勇気のいることなのですが、それがむずかしい国になっているのではと感じます。

## ——「みんなちがう」という前提

オーストラリアに行ったときのことです。

オーストラリアは移民の国なので、「みんなちがう」という前提があると現地の方が話していました。だから、まずは相手の出生の背景やカルチャーを理解して、おたがいに尊重し合うのだと。

とくに、日本の「年齢」(年功序列という制度など)や「性別」(この仕事はこの性別の人がやるという暗黙の了解など)を気にしている風土に対しては、「なんじゃそれ!」と両手で雨が降っているのをたしかめるような大げさなジェスチャーで憤っていました。

こういった移民の国やヨーロッパ(とくに北欧やフランスなど)のことを見聞きして感じることは、「他人と比べていない」ことです。競争している上での「ナンバーワン」という順位を目指しているのではなく、その人だけにとっての「ナンバーワン」を目指しているような印象があります(それを「オンリーワン」と呼ぶのかどうかはさておき)。

日本は第二次世界大戦後はアメリカ追随でやってきたと言われていますが、実感としてこうした国のような価値観に向かっていくと感じます。

「会社」ではなく、「仕事」に就くこと
「学歴」でなく、「経験」を重んじること
「記憶力」でなく、「理解力」を問うこと
「大量生産」より、「高品質」を大切にすること

「形式的」よりも、「中身」を重視すること
「働く」だけでなく「休み」や「生きがい」も大事にすること

このような価値観がすこしずつでも広がっていけば、日本はもっと「主観」をそれぞれが大切にして生きられて、おたがいのことを認め合える余裕も生まれるのではないかと考えています。

みんなおなじ生き方をしなくてもいいし、そもそもおなじなほうが不自然だよね、という社会を標榜するような国のあり方から、日本がこれから学ぶことは多いのではないでしょうか。

## ——狩猟型と農耕型

主観を大切にしてそれをことばにして伝えていくこと、生きていくことには、あらゆる物事がそうであるようにいい面とわるい面があります。

じぶんらしく生きようとすると、ときにはメンタルがやられてしまうこともあるのが世の常です。

「メンタルを鍛える」という表現がありますが、それをもっと具体的に言えば、**「受け容れる力を鍛えること」**なのではないかとぼくは思います。

生きているだけで、だれもが大なり小なり悩みや不安を抱えるものです。それは前提とも言えます。そういったストレスを「あっちに行ってくれ！」と背中を向けてアレルギー反応で逃げ出してしまうのか、「よし、きたな。まぁ座れ」と冷静に受け止めて向き合うか。そこが「メンタルが強いかどうか」の分かれ道な気がしています。

めまいがするほどの緊張。頭が真っ白になるような信じられない出来事。途方もなく離れた理想と現実のギャップ…こういった、「不快」や「プレッシャー」といったものに対して、「跳ね除けてやろう」と闘えば闘うほど、余計にそれらは「敵」として大きくなっていく。

見るのもつらいような現実を、まずはしっかりと見つめること。敵として闘おうとするのではなく、仲間にしてしまうこと。それには大きな「勇気」が要ります。「強さ」とは「やさしさ」だと思っていましたが、「強さ」とは「勇気」なのだと最近は考えています。欲に負けないこと。己のよわさを受け容れること。すべて勇気であり、それができる人は、強い人だと感じます。

そして、だれもがそういったマイナスの気持ちを持っているものだと思います。だからこそ、社会全体としてはそのマイナス同士を掛け合わせて補い合っていくことが大事だと思います。

## マイナス×マイナス＝プラス

です。つまり、ひとりだけ「よわさ」を出してしまうと、その人はしんどくなってしまうけれど、みんなが「よわさ」を出し合うことで、結果的に全体ではプラスになる、ということです。

じぶんの「ここがダメなんだよね」というよわさを公の広場に出すことで、それを補う強みを持った人が活躍する機会になることもある。よわさをさらけ出すことは、わるいことじゃなくて、みんながよわさを交換し合うことで強さを活かし合える社会にできる。そのためには、悩みを受け容れる「環境づくり」が先で、悩みを人に話す「人づくり」はあと、ということを意識するのが大事。そんなふうに考えています。

メンタルヘルスの取り組みというのは、つぎのような農耕に近いものを感じます。

・ターゲット（成果物）が見えない
・周囲との協力が不可欠

一方で、目標達成をするような取り組みというのは、狩猟に近いものを感じます。

・ターゲット（成果物）が見える
・ひとりでもできる

風邪の予防は、手洗いうがい。虫歯の予防は、歯磨きと定期検診。カラダの健康の予防は、運動と食事。じゃあ、メンタルヘルスにおける日頃からの予防は？　それは**「人が人と話すこと」**だとぼくは思っています。

組織のなかで、なにかあったときに話せる相手がいるということ、その関係性があるということは、それだけでいいチームワークを生み、メンタル不調の予防につながると思います。

# 第3章

# 主観の見つけ方

コピーライターとして上達するための道は、「修行」であると考えています。どのような修行かというと、**「いかに相手目線になれるか」**や**「いかに〝ふつうの人〟になれるか」**という修行です。

同時に、コピーライターの視点というのは、物事をいろいろな角度から光を当てるトレーニングや、受け手のことをイメージするトレーニングを日頃からしているせいか、ピンチや苦境でも希望を見いだすのが得意だったり、もしかしたら人にやさしくなれたり、生きることがすこしだけたのしくなったりする（かもしれない）のです。

この章のはじめに、視点を変えて、行動を変えるためのぼくなりの考えを書きます。

## ――「とも言える力」

**「とも言える」**ということばを、コピーライティングの仕事だけではなく、おまじないのように普段の生活からぼくは意識しています。

コピーライターとしての経験から学んだこの「とも言える」という思考を一度身につけると、生きるのがすこしたのしくなる。ここではそう言い切ってしまいます。それくらいのパワーがあるので、いつの時代も流行りの「〇〇力《りょく》」に代入して「とも言える力」としてご紹介します。

## ①未来に光を当てる「とも言える」

この世にあるものにはすべて「いろいろな面」があって、わたしやあなたという人間だって、身の回りにあるモノだって、きのう起きた出来事だって、すべてが多面的な要素を持っていて、その「いろいろな面」に光を当てていくのがコピーライターの視点です。

月でも三日月と満月では表情が異なるように、光の当て方次第で物事はちがって見えます。

たとえば、お金をものすごく稼いでいるという人は、その分自由な時間を失っているかもしれませんし、「わたしなんて全然モテないよ」と言う人は、ほんとうはものすごくモテているかもしれません。

トレードオフということばがあるとおり、「すべてが満たされている状態」というのは、かなり稀なのだと思います。なにかが突き抜けているということは、なにかが欠けているかもしれない、と考える視点が大事だということです。

逆にいえば、あらゆる問題が「バランスが大事だね」で済んでしまう。

さて、たとえば日常生活で言えば、こんなふうに「とも言える」を使います。

(例)

「こどもがコップを倒して床に牛乳をぜんぶこぼしてしまった」

↓

「床を水拭きして綺麗にする機会を得られた**とも言える**」

（例）
「留年してしまった」
↓
「人生におけるなににも縛られない自由な時間を得られた**とも言える**」

（例）
「急行電車に乗り遅れてしまった」
↓
「空いている各駅電車で座れた**とも言える**」

（例）
「じぶんのほうががんばっているのにサボってるあの人が評価された」
↓
「この悔しさをバネにもっと努力して差をつけられる**とも言える**」

（例）
「プレッシャーを感じて緊張してしまっている」
←
「そのくらいがんばってきた**とも言える**」

（例）
「鳩のフンが上から降ってきて洋服にビチャッと落ちた」
←
「この広い世界であなた（フン）に巡り会えた奇跡**とも言える**」

すみません、最後の例だけは冗談なのですが（どなたか鳩のフンが落ちてきてなにかいい「とも言える」がありましたら教えてください！）、なんとなくこの思考の癖のイメージができたのではないでしょうか。

このような紹介をすると「ただのポジティブシンキングじゃん」という声が聞こえてき

そうです。はい、その通りなのです。物事のいろいろな面に光を当てるということは、ネガティブな面だけではなくポジティブな面にも目をやろうねということですので、ポジティブシンキングとも言えます。

コップのなかに水が半分入っていたら、「半分も入っている」と思うか、「半分しか入っていない」と思うか、というやつです。

ただ、ポジティブに物事を捉えるということは、あんがい簡単なことではありません。そのためには**「加点思考」**を鍛えなければなりません。

100点満点のテストで1問まちがえるたびにどんどん点数が減っていく「減点方式」ではなく、真っ平の地面に「できたこと」「いいところ」だけを積み上げていくような（「欽ちゃんの仮装大賞」の得点のような）「加点方式」の目線を身につけることが必要です。

ぼく自身も、高校生相手のラグビーの指導をしていたとき、体力を鍛えるためにただひたすらグラウンドを何周も走るランメニューがあり、全力で出し切ってほしいので**「ビリの人は1周追加〜！」**と言ったことがあります。そのときすぐに、どうして**「トップから**

**「10人は1周免除〜！」**と言わなかったんだろう、と思ったことを憶えています。人はついつい「ダメなほう」に目を向けてしまう生き物なのかもしれません。ちゃんとがんばってる人、うまくいっているところにも光を当てて、そこを伸ばしていくやり方もあるのにな、と。

これにはなんの根拠もデータもないのですが、「ダメなところに意識がいく」のが人間の本能なのだと思います。

おそらく人類の歴史上、いまほど食糧に恵まれて生きていくための最低限の基盤が整っている時代はないかと思うのですが、もともとは「いつも死と隣り合わせ」の暮らしをしている時代がずっと長かったのだと思います。そうすると生存本能として、危険なことを察知したり、すこしでも生活を向上させるために改善点を見つけたりする能力が自然と備わったんじゃないかと。もちろん、いまでもそのような身の危険に脅かされていたり、「足るを知る」ような悠々自適な生活様式をしたりしている人たちは世界中にいると思いますが。

このあらゆる角度から光を当てる「とも言える」の考え方のコツは、**「時間軸」をストレッチしてみること**です。いわゆる「長い目で見れば」という視点です。いま、目のまえの事実だけにとらわれないで、グイっとうしろに引いて「あとから振り返ってみたらどう思うだろうな?」という視点で眺めてみる。そうすると、すこし視野が広がって解釈の幅も広がります。

## ②「いま」の意味をつくる「とも言える」

企業が「理念」や「ビジョン」、最近だと「パーパス」という言い方もありますが(呼び方は流行のひとつでありなんでもよく、要するに企業が大事にしたい考えのことだと思っています)、これをわたしたちのようなコピーライターに考えてほしいという依頼がよくあります。

本来であれば、その会社の創業者にはそのような考えや想いがあって事業を興しているわけですから、「創業者に訊いてみてはいかがでしょうか」でおわる話です。

ですが、実際には創業者がすでにいなくなっていたり、会社が大きくなって事業が変化して当時の考えが時代に合わなくなっていたり、社員が増えたことで共通の認識を持てるシャープなことばが必要となったり、いろいろな事情があって外部のわたしたちコピーライターに客観的な視点でじぶんたちの会社の「存在意義」や、「なにをしている会社なのか?」を、言語化してほしい、というわけです。

かつては「社員の幸福を追求しお客さま第一の精神で社会に貢献します」といったような企業理念が多くありましたが、「それって、あなたの会社じゃなくても言えるんじゃない?」というツッコミが入ってしまいます。戦後はその精神が大事だったと思うのですが、いまは「それって当然でしょ」の時代になり、だからこそ額縁に入れて飾られておわってしまい、社員に浸透してこなかったのだと思います。

「なぜその企業は存在しているのか?」「なにをしている会社なのか?」という企業の理念やステートメント(想いをことばにした宣言文)を言語化するとき、コピーライターは見たままの事実ではなく、「それは、なに**とも言える**のか?」を考えています。

**「地図に残る仕事。」**（大成建設）

このキャッチコピーは1992年につくられたと言いますから、もう30年以上使われているものです。建設業界は、働く人にとっては「3K」と言われる「キツイ・汚い・危険」のイメージがあるなかでも、その苦労には「地図に残る仕事」をしている「とも言える」という意味を表現していて、いつ見てもすばらしいキャッチコピーだと思います。

**「愛とか、勇気とか、見えないものも乗せている。」**（JR九州）

目で見たままの事実としては、人や貨物を乗せて走っている鉄道業だけれど、その車両のなかにいる人間やものには愛とか勇気とかが詰まっている「とも言える」というキャッチフレーズです。このすばらしいキャッチコピーも、いまその会社で働いている社員の方々にとっての誇りをつくり出しています。

いま、「しんどい」とか「つらい」と感じていることも、「そこにはどんな意味があるのだろう?」と考えてみること。

そのためには、「反作用」を意識することが大事だと思います。じぶんがなにかをやっているということは、なにかしらの力学が働いているわけですから、そのリアクションがあるはずです。いまやっていることは、だれのためになっていると言えるのだろう? なにをしていると言えるのだろう?

そのような考えをめぐらせていくのが、「いま」の意味をつくる「とも言える」のです。

### ③「わからない」を伝える「とも言える」

まったく新しい取り組みやサービス・商品を世の中に出すとき、人に伝えるとき、似ているなにかに喩《たと》えて、名前をつけること。この考え方も、いわば「とも言える」の応用です。

ぼく自身の事例で恐縮ですが、

## 「アポプロジェクト」

という、アスリート向けの教育プログラムを提供する法人があります。この「アポプロジェクト」は、ぼく自身も理事として設立と運営に携わっています。

スポーツを仕事にしているアスリートたちは、引退後のことはあまり考えないようにしていて、いざ引退の間際になって、あるいは引退後にはじめて「なにを仕事にして生きていこう…？」と悩む人がほとんどなのが現実です。企業のサービスとしてアスリート向けの就職支援などはあったのですが、実際は「職に就く」ことがゴールになってしまい、ほんとうの意味でその仕事や会社にフィットしていなかったり、その選手の持っている資質が活かされなかったりするため、結局、辞めてしまうというケースが起きていました。

そこで、本質的にはアスリート自身のマインドセット、つまり選手としてだけではなく、ひとりの人間として生きている上での大切な価値観や人生の目的、競技をしていない時間などの日頃からの姿勢を教育して鍛えることが、その選手の未来にとっては意味があるだろうと考え、「アポロプロジェクト」ではマインドセット教育プログラムとして、ビジネス界で活躍する人たち（講師・コーチ陣）が人（選手）を時間をかけて育てていく非常に手間暇のかかるプログラムを提供しています。

すべては、アスリートたちが「スポーツをやっていてよかった」と思える人生を歩んでもらいたいという想いからはじまっていました。アスリートは、10年後、長くとも20年後にはかならず引退します。社会人になるときに、一般企業に就職せずに「好きなこと」であるスポーツを選んだがゆえに、そのあとの人生が不遇なものになってしまうのはとても残念なことです。アスリートたちは類稀《たぐいまれ》なる資質を持った人たちで、単純に社会のことを知らないだけだったり、スポーツ以外の人との関わりがなかったりしているだけで、ビジネス界で活躍する講師やコーチたちを通じて出会える機会を提供するだけでも価値がありました。

前置きが長くなってしまいましたが（想いがあふれてしまい、すみません……！）、そのような法人の名称を考えるときに、「我々の組織は、アスリートを未知なる星へぶっ飛ばすための計画とも言える」と思いました。そうか、アスリートという才能あふれるロケットたちを、裏方としてブーストしていく（押し上げていく）役割がじぶんたちなんだ、と。

そのような考えから、「アポロプロジェクト」というど真ん中のネーミングをしました。我々の使命は「アスリートをまだ見ぬ星へ。アスリートに大気圏を超える突破力を」で、我々の夢は「アスリートが社会の壁を突破する世界。アスリートの力が世の中に行き渡っている世界」です。

資格が取得できるわけでもありませんし、短期間ですぐに使えるビジネススキルやノウハウを学べるわけでもありません。「アポロプロジェクト」のようなアスリート向けのマインドセット教育プログラムは業界的にめずらしく、どのように説明すればイメージしてもらえるだろうかと設立メンバーみんなで頭を抱えていました。

そこに、「これは、つまるところ、『アポロプロジェクト』とも言えるんだよ」とコンセプトとなるフレーズを手にしたことで、「じゃあ、これはだれもやっていないことをやる大いなるチャレンジなんだね」「大気圏を超えるようなエネルギーをつくらないといけないね」と、まずは組織内の向かっていく方向性を示すことができました。

みなさんの身近にある **「iPhone」** だって、実は「とも言える」の応用です。

電話でもあるのですが、インターネットをブラウジングできるし、音楽だって聴けちゃうし、メモだって書けちゃうし、とにかくまったく新しいデバイスでした。けれども、6文字あるうちの5文字が「電話」というネーミングです（詳しくは第4章で書いています）。「わからないもの」を伝える「とも言える」は、そのようなときに役立ちます。

## 「たのしめてるか。」

2014年。湘南ベルマーレというJリーグクラブの当時の社長だった大倉智さんから「社員のだれもが湘南ベルマーレを愛しているが、その魅力やクラブの存在意義をそれぞれのことばで話していてバラバラになっている」とご相談をいただき、企業理念を策定するためのプロジェクトが走り出しました。

クラブスタッフやスポンサー企業、サポーターまで、総合型市民スポーツクラブならではの多様なステークホルダーに約半年間かけて取材ヒアリングをおこない、ベルマーレのDNAを抽出しました。そうして生まれたミッション、ビジョン、バリュー。2014年

12月10日の日本経済新聞の朝刊では「理念をまとめた会社案内があるＪクラブを見たことがない」としてコラムにも取り上げていただきました。

そして、それらをひとことに集約したのがスローガン。

**「たのしめてるか。」**

湘南ベルマーレのサッカースタイルは、「全力」です。観る人たちに、「勝利をとどける」を１００％約束することはできないけれども、「全力でプレーすること」だけは約束できる。倒れてもすぐに起き上がって、泥臭くプレーする。ラスト1分で勝っていても、最後まで走りつづける。日曜の夜にスタジアムでそんな湘南ベルマーレの選手たちのひたむきな姿勢に勇気をもらって、また翌日からがんばろうと思ってもらう。それがクラブが地域に存在する価値である、というのが湘南ベルマーレの核となる信念でした。

「勝っても負けても拍手されるクラブを目指そう」

「そこに落ちているゴミを拾える人間であろう」

このようなことをクラブとしていつも選手やスタッフに伝えているのが印象的でした。当時のクラブ売上規模は、おなじJ1クラブの約3分の1くらい。だから、有名な選手を獲得するのはむずかしい。それでも、ユースの世代から上記のような湘南のスタイルで人を育てて、活躍してもらうというのが湘南ベルマーレでした。

スポーツの価値とは、そのように我を忘れてしまう「全力」や「無我夢中」にある。だからこそ、勝敗の向こう側にある「たのしむ」ということがスポーツの本質である、という考えから「たのしめてるか。」というスローガンが生まれました。

この7文字のスローガンは、それから公式戦のユニフォームのクラブの象徴とも言えるエンブレムの下にも刻まれ、記者会見のときにうしろに置くスポンサーボードや、あらゆるグッズ（スタジアム内で飲むビールカップにも）、湘南ベルマーレに関わるあらゆるところで使われて10年近く経ちました。

たのしい。それは、まさに主観です。なにをたのしいと思うかは人それぞれ、だからこそ、どんな状況でもたのしむことはできる。「たのしめてるか。」というコンセプトをつくったことで、実際にあらゆる物事がそのことばを指針に進むようになりました。

## ――どうせやるならたのしくやろうぜ

そして、ぼくが書かせてもらった「たのしめてるか。」という湘南ベルマーレのスローガンは、実は、ぼく自身の主観も色濃く反映されています。

ぼくは大学時代、体育会のラグビー部に所属していました。

それはそれはつらかった経験が詰め込まれた4年間で、いまとなっては精神的にも肉体的にも最も鍛えられた期間だったと思います。

とくに、大学1年のときのラグビー部の夏合宿を超えるつらさは、生涯絶対に出合わないと確信しています。あれ以上のメンタルとフィジカルを削られることは、決してないだろうと（実際にいまのところありません）。

朝6時に起床してから練習がはじまって10時におわる。宿舎に帰ってくると階段をのぼることすらできない全身の疲労。5分でも昼寝をするために急いで昼ご飯を食べて（1回の練習で4kgほど体重が落ちてしまうのでたくさん食べないと痩せてしまう）、昼寝をしてもカラダは疲れたまま午後の練習。長野県菅平の炎天下の下、走りつづける。カラダもぶつけてあちこちが痛い。メンタルもフィジカルも限界。それでも朝はまた来る。「これが大学日本一のクラブか…」と意識が朦朧《もうろう》としていました。

そんなじぶんも4年生になりました。

練習するグラウンドに行くまえにロッカールームのようなところで、みんなで着替えてストレッチをしたりテーピングを巻いたりして練習への準備をします。

そこで、下級生たちが、いまにも死にそうな顔をしていました。あぁ、わかる。下級生はさらに掃除とか当番があって、休む時間がないもんな、と。

そのとき、ロッカールームでかつてのじぶんのような下級生たちに向けて話しました。

「どうせこのあと練習ははじまる。でも、数時間後にはかならずおわって、またここに戻ってくる。どうせやるなら、たのしくやろうぜ。おなじ時間なんだから、つらい練習を

『やらされてる』んじゃなくて、『やりたくてやってます』って笑ってやろうぜ。コーチたちがドン引きするくらいに」

後輩たちに話しているようで、半分はじぶん自身に向けて。

このときの経験が、「たのしめてるか。」というコピーを書いた大きな原点になっています。「どうせやるならたのしくやろうぜ」という考えがぼくのなかには、はっきりとあったのです。じぶんの記憶のなかで、色濃く残っている経験。感じたこと。そこには「主観」が詰まっています。

## ことばは「葉」である

ことばを漢字で書くと「言葉」です。そこには「葉」とあります。

葉は、小さな枝木から生まれていて、それら枝木は幹から生まれていて、その幹は、地面のなかにある根という土台の上に生まれています。

ことばというものは、その漢字の通り、「葉」なのだと思います。たとえ真冬に葉っぱがひとつも付いていないときでも、根は下へ下へと伸びています。この根っこの部分が豊かであれば、暖かな春になればちゃんと葉っぱが生い茂るでしょう。

そして、この**「根」の部分というのが、ぼくは「主観」であると**思います。

イメージとしては、**「根」はその人だけの心情や主観、「幹」はその根から生まれた行動という事実、「葉」はその幹を表現するための道具（あるいは記号）**です。

だれにも話さなくても、ことばにして書かなくても、じぶんがどう思ったのかという根っこがきちんと元気に育っているならば、極端な話、ことばはなくたっていいと思うのです。

日本には昔からこんなことわざがあります。**「口は禍《わざわい》のもと」「言わぬが花」「沈黙は金」**…そうです、「なんでもかんでもことばにしても、ろくなことないぞ」と先人たちは戒めてくれています。

書く、話すという行為は、本来、じぶんの内側にあるものを人に見せる行為であり、すこし照れながらおこなうようなものだと思っています。そして、ことばよりも行動のほうがずっと大事です。ぼくはラグビーというスポーツをしていたからこそ、ひとつの「タックルしようぜ！」という掛け声よりも、カラダを張ってタックルする行動、後ろ姿のほうがいかに周囲に勇気を与えるかということを実感しています。

ついでに言ってしまうと、コピーライターという、ことばを書くことでメシを食ってきた職業のじぶんが言うのもヘンなのですが、**ことばにできないものこそが、最も大事であると**思います。

ぼくがだいすきな漫画『**SLUM DUNK**』（井上雄彦・集英社）のなかでもとくに好きなシーンに、主人公の桜木花道とそのチームメイトでありながら水と油の関係の流川楓がハイタッチをするクライマックスのシーンがあります。見開きのページにはセリフも擬音語も一切なく、ふたりがハイタッチをしているイラストだけが描かれています。

この漫画を読んだことのない、なにも知らない人がこのシーンのイラストを見ても、「上手な絵だね」でおわってしまうと思うのですが、このクライマックスまで漫画を読んできた人ならば、この絵を見ただけで涙があふれてくるのではないでしょうか。もちろん井上雄彦先生の圧倒的な描写力のおかげもありますが、漫画なのに吹き出し＝セリフがない見開きの「絵」だけで人のこころを揺さぶってしまっているのです。「そこに人間のストーリーがあれば、ことばなんかなくても伝わる」ということを教えてくれます。映画でも、小津安二郎監督の作品にもそのような「ことばにしないことで、より伝わる」ということを感じさせられます。

ほかにも、歌手の宇多田ヒカルさんが、以前とあるラジオで「宇多田さんにとって『ことば』ってなんですか?」というリスナーからの質問に対して、こんな回答をしていました。

**「ことばっていうのは…ことばで表現できないものを表現するツールかな」**

ぼくは、「なるほど!」と感動しました。この世には「ことばで表現できないもの」であふれていて、ことばは必要に応じてそれを表現するためのひとつの道具なんですよ、と彼女のことばから受け取りました(もちろん真意はわかりません)。

余談ですが、「コピーライター」というと「伝えたいことを、一行でビシッと伝えてしまうことばのプロ」などと言われることがたまにありますが、それはあくまでそういう「ことばの置かれた状況」において必要に応じているだけで、ことばを短く凝縮することはスキルのひとつです。音楽の作詞家たちは「好き」とか「会いたい」とか「がんばれ」

とかたった数文字のことを、さまざまな表現をして文字数を増やす「ことばのプロ」です。

繰り返しになりますが、SNSに反射的になにかを書き込んだり、他人の「コメント欄」を読み漁ったりするまえに、まず、「じぶんはどう思ったのか」を考えることが大事だと思います。そういったじぶんの内面と会話をすることで「じぶんのことば」が見つかるのではないでしょうか。

じぶんのこころの声を聴くこと。それは、「じぶんを知ること」と同義です。じぶんの喜怒哀楽のセンサーに敏感になること、じぶん自身と対話すること…そういったことをひとりひとりがおこなって、「わたしは、こう思っているんだよね」と意見を交換し合えたら。そこには、「おたがいさま」という気持ちがあって、じぶんの意見とちがったとしてもリスペクトが生まれるのではないかと思います。

みんなが「じぶんのことば」で会話ができたら。おたがいの「主観」を交換し合って、それを認め合えたら。世の中はもっと他人を尊重したり認めたりできるんじゃないか、と夢想しています。

## ――悩みを「抱える」のではなく「眺める」

じぶんのことばを見つけるために最も効果的なのが**「書く」**だと、ぼくは考えています。

書くということは、じぶんを知る機会になります。いわば、鏡のような存在です。書くこと自体は1円も費用がかかりません（ペンやノート、スマホ代をのぞく）。それでいて、読んだ人の感情を生み出せますし、お金だって生み出せることもあります。

メールが登場したことで「書く」という機会が増えていますし、SNSなど個人が社会に気軽に発信できるようになったことで書く場所も増えています。大げさに言ってしまえば、生きていく上で書くという行為は避けられないものになっていると言えます。

普段から、**じぶんの「感じたこと」や「思ったこと」を書き留めておく**。できれば一日を振り返ってみて言語化してみる。そして、もしできたらそれをだれかに読んでもらう。

はじめは「伝わらない」とか「まったくウケない」こともあるかもしれません。けれども、そんな反作用も「じぶん」を知る機会になります。

じぶんの書いたことばは、紙やスマホのなかの、外にあることばです。よく「その日にやることを書き出すと頭が整理される」とか「悩みをひとつずつ書き出してみるとすこしだけ気持ちが落ち着く」という話を聞きます。それは、ある意味、じぶんを客観視して**「眺められる」**ことで冷静になれているのでは、と思います。なんでしょう、お風呂場に落ちているじぶんの髪の毛を触るのってなんかイヤじゃないですか。もともと毎日触って丁寧にケアしていたのに、じぶんから離れるだけで「じぶんじゃなくなる」。言語化することは、それに似ているように思います。

「マインドフルネス」ということばが普及しましたが、これは、文字通り「マインド」を「フルネス」にすること（ほんとうに文字通りですみません）。意訳するならば、「いろんな気持ちがあるはずだから、あっちこっちにも目を向けてみよう」だと思います。悩んでいてつらいときは、どうしても視野が狭くなってしまうものです。身の回りのすべてのものが敵に見えてしまいますし、どうしてじぶんがこんなにひどい目に遭わなければならないのかと思ってしまうものですよね。そういうときこそ、「書く」という行為を通じて、「あれ、あんがい、わるいことばっかりじゃないな」とじぶんのことを客観視できると思うのです。

ぼくの知っている活躍するビジネスパーソンやアスリートたちは、みんなじぶん自身を客観的に見ているように思います。じぶんは、どんなときにストレスを感じるのか、どんな思考の癖があるのかなどを、じぶんでよくわかっている。

そして、じぶんのことばを書くための一歩目は、じぶんを知ることが大事だと思います。では、どうやってじぶんを知るのか？　じぶんを知るためには、**じぶんを見るより、まわりの人を見たほうがいい**ように思います。

いい選手には、かならずいいコーチがいますし、いい作家には、いい編集者がいます。そういったじぶんのことを外の目から見ている人からのフィードバックを大切にしたほうがいいものです。じぶんでは、じぶんのことを「こうでありたい」と思っていても、他人からは「そうは見えない」ということはよくありますから。

じぶんがいま思っていることや考えていることを、言語化して紙に書き散らしてみること。近くにいる友人でも上司でもパートナーでも、信頼できる他人から「わたしってどう?」とフィードバックをもらうこと。それらをするだけで、「わたし」のことが、より理解できるものだと思います。

## 他人の目より
## じぶんのこころと向き合う

コンプレックスのある人ほど、まわりの目を気にしてしまうものです。じぶんに足りないものを強く意識しすぎてしまって、それをまわりから見られていないかをまるで監視するように、常に他人の様子を窺っているのかもしれません。

ですが、どんな人にだってコンプレックスはかならずあるものだと思います。それが容姿や体型だろうが、学歴や勤め先だろうが、「もっとよくしたい」と考えたらキリがないですから。

ですが、なにがいいのかわるいのか、という価値観は、主観です。「こうでなきゃいけない」という正解なんてもともとありません。ルールや法律だって、人間が勝手につくったもので、その正解だってすぐに変わります。

幼稚園と保育園を運営している幼児教育にくわしい方とお話をしていたときのこと。その方がこんなことを教えてくれました。

「これまでいろんな親御さんの子育ての悩みを聞いてきましたけれど、たいていが『正解はなんだろう？』で悩まれているんですよ。だからまわりの家庭をたくさん見て、ネットの情報を探し回っている。でもね、子育てに正解なんてないんですよ、ほんとうに。『**その子育て、ぜんぶ正解！**』なんです。正確には、『愛があれば、その子育て、ぜんぶ正解！』なのですが」

その子育て、ぜんぶ正解！　…なんていいことばなんだろうと感動してしまいました。正しい「やり方」があるわけじゃなくて、それにとらわれずに一生懸命に愛をもってこどもに接していればオールＯＫ、ということこの世のすべての子育てする親たちを救うことばだなと。

ただ、最後の「愛があれば」というのが実はミソだと思っています。愛ってなんでしょう。コミュニケーションは受け手が主体。そう考えると、愛している相手が「愛されていると感じていること」かもしれません。

**「完璧」や「正解」なんてものは、ない。あるとしても、それはだれかがつくったもので、すぐに変わるもの。**こう思えるだけで、じぶんの「主観」に正直になれるかもしれません。むしろ、不完全や欠損があるというのは自然なのだと思います。

お笑いコンビ「ダウンタウン」の松本人志さんの『遺書』という本に、「貧乏だったからこそ、工夫して笑いのセンスが磨かれた」というようなことが書いてありましたが、彼が物心すべてに満ち足りた暮らしをしていたら、あの創造力やエネルギーはなかったのではないかと、ファンのひとりとして勝手に想像してしまいます。

また、以前に元プロ野球選手の桑田真澄さんにインタビューしたことがあり、そのときに彼が「ワインが好きでブドウを育てているんですが、ブドウにとって心地よいいい環境をつくりすぎてしまうとブドウはおいしくならない」ということを話されていました。なんでも「完璧」がいいわけじゃない、ということです。

## ――「当てる」ではなく「当たる」

チョコレートで有名な「ゴディバ」のフランス人の社長の講演を聴いたことがあるのですが、同社長は弓道に精通しているそうで、弓道の師匠から言われて衝撃だったことばに、「ネラウ、ダメ！」があるそうです。

狙っている先に的があるのに、それを狙ってはいけない、という意味だそうで、はじめは意味がわからず「…？」となったそうです。当然ですよね。

大事なのは、**「当てる」ではなく「当たる」**ということなのだといいます。このエピソードは、企業経営もおなじように「売り上げ」の数字だけを目標にしてしまうと、その的にだけ向かってなんとか利益を出そうと考えだし、無理をしてしまったりズルをしてしまったりしかねない。そして、それは永くつづかない。ゴディバという会社の理念である「お客さまのハピネス」だけを追求して考えてさえいれば、結果として「的に当たる（利益はついてくる)」というお話でした。的に当てようとすると、当たらない、と。さらに、「72％ルール」という、目標はそのくらいの割合で達成するつもりでいい、ということもおっしゃっていて最後には、「ニホンジンは、みんなマジメ！　完璧を求めたがるからネ。レッツエンジョイワーキング！」と、痛快でした。

コーラやレントゲンがこの世に発明されたのも、もともと狙っていたわけではなく、「たまたま」だったと、なにかで読んだことがあります。

第2章でも書きましたが、タレントや芸人、政治家の方で、スキャンダル報道や大きな失敗をしてしまった人が、「それでもなんとか」と踏ん張って復帰してまた活躍するケースは、ご本人としてはある意味で「もうこれ以上失うものはない」という心構えで等身大のじぶんでのびのびとできることで、いいパフォーマンスが出せているのではと想像します。一度、井戸の底まで落ちているので、あとは上を向いて空に向かってのぼっていくだけ。なにをやっても加点されていく(好感度が上がっていく)ような感覚があるのではと思います。

思えば、中学校のときの体育の授業で柔道をやったときもはじめは「受け身」を習いますし、スケートでもはじめに「転び方」から教わると聞いたことがあります。

最初に転んでおけば、こわくない。転び方を知っておけば、転ぶのもすこしこわくなくなる。「完璧にやらないといけない」「正解じゃなくて期待を裏切ってしまったらどうしよう」という精神状態だと、恐怖心に気を取られてしまって本来のじぶんのパフォーマンスができなくなる。そんなふうに思います。

いきなりですが**「オセロ理論」**という、ぼくの勝手な持論があります。

人は、生まれた瞬間はみんなまっさらな「白」。途中でいろいろなイヤなことなど暗いことがあったとしても、最後に(いまこの瞬間に)、「しあわせだ〜」と思えていたら、それまでがどんなに「黒」だったとしても、オセロのようにすべて「白」になるんじゃない?という考えです(無理やりすぎますか…?)。

そのときは「正解」じゃなくても「完璧」じゃなくてもいい。むしろ、「不完全」や「劣等」にこそ、「ほんとうのじぶん」があるのではないでしょうか。

わたしという主観を大切にするために、いかにじぶんの「不完全」や「劣等」を受け容れられるか、というのが大事なのだと思います。

それはそうと、みなさんには「勝手な持論」は、ありますか。なんのデータも根拠もない、ＴＨＥ・主観の理論です。

もうひとつ、ぼくがよく使う**「ないはある・あるはない理論」**というものがあります。

そのまんま、なのですが、人が「ない」と言うものはほんとうは「ある」し、「ない」ように見せているものはほんとうは「ある」という勝手な法則です。お金を持っていないように見える人ほど実はたくさん持っていたり、愛妻家に見えるような人ほど実はそうでもなかったり……ことばというものは、「ない」ものを「ある」ように、「ある」ものを「ない」ように表現できるものであり、人間というものは、常に「いまここにないもの」に吸い寄せられていくものなのではないかと推察しています（著者の主観であり根拠やデータはありません！）。

## ――世間に流されないための工夫

ちなみに、なのですが、ぼく自身が必要以上に他人の目を気にしないようにするために気をつけていることがあり、それは、**①SNSを熱心にやらない　②テレビやスマホでニュースを見ない**という2つです。

SNSで「なにを投稿したらうらやましく見られるかな」とか「どうしたら『いいね』がたくさんもらえるかな」と考えているのは、他人の目を気にしている典型だと思います。その時間が、とてももったいないと感じてしまい、どうせならば投稿しなくてもいいかな、と。SNSで不特定多数の人にあれこれ発信するよりも、実際に直接話している人だけがじぶんのことを等身大で理解してくれていたら、それでいいわけです。実際に、みんな大量の情報が毎日のように仕入れられているSNSで、じぶんのことに興味を持ってくれてじぶんの投稿を熱心に待ってくれている人なんて、世界的な経営者とかアーティストとかじゃない限り、ほとんどいないのではないでしょうか。

そして、1000万人とかフォロワーのいるそういった世界的に有名な人や、フォロワー数に関係なく、まわりの目を気にするよりもじぶんのスタイルを貫くカッコいい人ほど、落ちていたゴミやペットの写真など、身のまわりの日常のなにげないことを発信しているように思います。すでに承認欲求が満たされていて達観しているので、「うらやましがられたい」「尊敬されたい」といった「どう見られたい」がないからだと思います。

先ほども書いた通り、数年前からうちにはテレビがありません。正確にはインターネットのコンテンツを視聴するためだけにモニターだけはあるのですが、テレビ回線につながっていません。ぼくのまわりの人たちに訊いてみても、そういう人はとても多いです。

テレビもそうですし、ネットのニュースも一切見ていません。ほとんどが、じぶんの世界とまったく関係のない人たちの世間話の情報だからです。あるとき、「ここに流れているニュースや情報って、ほとんど『ほしかったもの』じゃないよな」と気づいて、読んでいたその時間はなんだったのだろう…？ その情報を知って「ああ、よかった」と思ったことってあったっけ…？ と思ったのがスマホでニュースを見るアプリをすべて削除したきっかけでした。

それでもたまにSNSで流れてくるニュースの見出しを読んでクリックしたくなることもあります。そういうときは、**「この記事が有料500円で5分後に表示されるとしても読むか？」**と自問して答えがノーならば「見なかったことにしよう」と読むのをやめています。

じゃあ、ぼくは世の中のことをどうやって知っているのか？

ズバリ、**「人」**と**「新聞」**です。

アナログですが、実際に会った人からいろんなことを仕入れています。ぼくは、できればずっと家にいて好きなものにかこまれて、好きなタイミングで好きなものを食べたり飲んだり、本を読んだりギターを弾いたり好きなことを自由にしていたい性分なのですが、勇気を出して人に会うと、帰りに「やっぱり行ってよかった」と思います。ですから仕事はもちろん、仲のいい友人やその友人に会うことを心がけています。

新聞に関しては、週に2回だけ『日本経済新聞』の朝刊をコンビニで買ってそれを端から端まで読んでいます。

かつては新聞を毎日読んでいたこともあり、それはそれでひとつのニュースの経過を点ではなく線で知ることができたり、その曜日にしかないコラムなどがあったりして魅力的だったのですが、ぼくにはやや「情報過多」だなぁと感じて、いまのスタイルに至りました。でもですね、週に2日くらい新聞を読めば、わりと世の中や社会のことは知ることができます。「え、そんなニュースあったの？」と会う人たちの話題についていけないことは、ほぼありません。週刊誌の広告もたまに入っているので、芸能ニュースや政局スキャンダルなども、見出しだけですが仕入れられます。

もうひとつ、「じぶんのこころと向き合う時間」を増やす方法として、**「思い切ってスマホを忘れて家を出る」**というものがあります。

ある朝、会社に行くために家を出て電車に乗ろうと改札のまえでふとポケットに手を入れると、スマホがないことに気づきました。

家に取りに帰ってまた駅に戻ってきても、まだ間に合うくらいの時間の余裕があったのですが、3秒ほど止まって考えて、「このまま行こう」と決心してみました。**「いつもあるものをミュートしてみる実験」**をしてみようと思ったのです。

すると、いかにすべてのことがスマホ一台のなかで完結しているのかを思い知らされました。乗り換えの時間も時刻表や路線図を見てじぶんで考えるしかないので新鮮だったり、ふと思い立ってSNSを開こうとしてもスマホがないので見られないのですが、「別に見なくたって困らないよな」とじぶんの無意識の習慣に気づけたり。パソコンはちゃんとカバンに入っていたので、そのあとデスクに着席してから、ネットにつないで連絡を取り合ったり調べものをしたりできました。そして、「別にスマホがなくても1日くらいはふつうに仕事できるな」という発見があり、同時に「いかに常に外の世界」とつながっているのか、ということを実感しました。だれかからの連絡がきたり、SNSでだれかの発信を目にしたり。それらをミュートするだけで、グンと「じぶんのこころと会話する時間」が増えました。「じぶんはそれについて、どう思っているのだろう?」ということを、移動しているときやトイレに座っているときに考えることができて、とても新鮮でした。余談ですが、スマホが手元になくていちばん困ったのは、写真を撮れないことでした。高性能のカメラを常に持ち歩いていることがいかに便利か、なくなってはじめて痛感しました。

いま、「サウナ」や「銭湯」があちこちで流行していますが、あれは基本的にはスマホをロッカーに置いていくから、こころがすっきりするんじゃないかと思います。みんな手にはなにも持っておらず、目のまえの人とのリアルな会話だけがすべてです。長い間、人類はそういうコミュニケーションだけだったはずです。

ぼくがやっているサーフィンもおなじで、スマホを海のなかに持っていくことはできません。カラダひとつとサーフィンボードひとつだけで、海の上に浮かんで、大きな空の下で波を眺める。仲間と一緒ならば、だれもスマホの画面を見ながら話す人はいません。沈黙の時間も含めて、「いま、そこにあるもの」だけがすべて、です。だからなのか、サーフィンは最高のリフレッシュになります。

月に1日だけでも**「スマホ・ミュート・デー」**をつくってみてはいかがでしょうか。必要なのは、「勇気」だけです。

## ——「やりたくないことは？」

就職を控えている高校生や大学生から「やりたいことがないんです」という相談をときどき受けます。

そういうときにかならず言うのが、**「やりたくないことはなに？」**という質問です。

本来であれば「やりたいこと」があるから仕事をするのがふつうだと思うのですが、そもそも「やりたいこと」ではなく「やらなきゃいけないこと」をたくさんやる教育を受けつづけてきた20歳そこらの学生に、「やりたいこと」があるほうがめずらしく、幸運なことだと思います。ぼくのところに相談にくる学生たちのほとんどは、「就職ランキングの上位の会社に行きたい」が本音で、その「志望動機」はすべて後付けです。企業だって、「学生にうちの会社のことがわかるわけない」と思っているはずなので、単純に「うちの会社の風土に合っているか」や「後輩として働いているイメージがあるか」といった、その学生の「なんとなく、いいかどうか」を見ているように思います（もちろんそうじゃない会社もあると思います）。いわゆる「ＩＱより愛嬌」というやつです。

それはそうと、人間って「望んでいること」は、だいたいみんなおなじなんじゃないかと思います。「幸福の形はだいたいおなじだが、不幸の形は無限である」という格言のようなことばを聞いたことがありますが、まさに「こうであったらいいな」という欲求は、「お金持ちになりたい」「モテたい」「健康でいたい」「認められたい」とか、だいたいおなじである一方で、「これは絶対にイヤ」というものは、わりとその人の個性が出ると思います。「わたしは全然気にならないけれど、あなたはそれがイヤなんですね」ということ、よくありませんか。

体重管理のためには、「なにを食べるか」より、「なにを食べないか」のほうが結果が出たり、企業のブランディングでも、「なにをやるか」より「なにをやらないか」のほうが企業のオリジナリティーが出たりするものです。


たとえば、ぼく自身が就職活動をしていたときの会社選びの軸は「スーツを着なくてもいいこと」と「部活の先輩がいないこと」でした。幸いにも「やりたいこと」はコピーライター（ことばを考えて書く仕事）という職業を知ることができたので、この2つの「イヤなこと」の条件に合ったコピーライターの仕事ができる会社を受けて入社することができました。

「スーツを着なくてもいい」という条件はなぜか。これはほんとうに単純なのですが、「着るとめちゃくちゃ疲れてしまう」んです。カラダに合ったいいスーツを着たことがないからだ、と言われることがあるのですが、スーツって、下着、シャツ、ジャケット…と形式的にたくさん洋服を重ねて着るので、単純に「暑い」んです。ぼくはもともと新陳代謝がよくて、スーツを着るだけで暑くて、さらにそれを着て電車に乗って椅子に座って仕事をするというのが、ぼくにとっては地獄そのものだと思っていました。

「クールビズみたいにシャツだけでいいじゃん」という指摘もあるかと思うのですが、シャツはズボン（いまはどうして「パンツ」って言うんでしょうね？）にインしなければならないですよね？　あれが、上半身の熱をシャツのなかにこもらせてしまって耐えられないのです…。それと、スーツってちゃんとネクタイやジャケット、いい革靴をビシッと身につけてこそ、スーツだと思うんです。クールビズと言って半袖シャツにスラックスをはいて、スニーカーみたいな黒い靴を履いて…そこまで着崩してアレンジしてしまうならば、もういっそ「Tシャツ短パン」にしちゃいなよ、と思うおいらです（急にひろゆき）。

スーツ発祥国の気候とはちがう日本という、ほぼ熱帯の国でスーツを着るというのも無理があると思いますし、「男性はスーツを着て会社に行く」という文化が日本に定着したのは戦後だと思うので、日本もまたこれから変わっていくことでしょう。もちろん、スーツを着ないといけない仕事や、制服のある仕事、あえてスーツを着たい人は着ればいいと思います。


話を戻しまして、「やりたいことがないんです」という学生にもうひとつ追加で質問するのが、**「ほんっっとうに、ない？」**です。

いったん、友だちがどこの会社に行きたいと言っているとか、親からこの会社に行きなさいと言われているとかの意見をぜんぶどこかに放り投げてみて、まっさらなじぶんのころに「なにやりたい？」と問いかけてみなよ、ということ。

あるいは「就職する」っていう気持ちじゃなくて「バイトするならなんの仕事したい？」という訊き方をすることもあります。極端ですが、いったんそれくらいまで純粋なじぶんの「やりたいこと」に向き合ってみる思考のストレッチをしてみたら、と思い、質問します。

なぜなら「やりたいこと」はあるのに、「それはダメだ」と勝手に選択肢を減らしてしまっている可能性があるからです。そして、それが「まわりの目」のせいだったとしたら、もったいないよな、と思うのです。じぶんの気持ちよりもまわりの目を優先してしまって就職した会社でどれだけフィットするかわかりませんし、まわりの目が気になるのは内定して入社するまで、あるいは入社半年の期間までで、実際に働き出してからはまわりの目という存在はどっかに忘れ去られて、「いかにたのしそうに働いているか」のほうが大事になると思います。

親御さんだって、ほとんどが「こどもにしあわせでいてほしい」だけではないでしょうか（こどもの就職先で自慢したい親もいますが…そういう人だって、きっと本人のためにと思っているはず…）。しあわせでいるための選択肢のひとつとして「こういう会社に行ってほしい」と思っているだけで、最終的にはどこの会社で働いていようともじぶんのこどもがしあわせでいてくれるなら許してくれるはずです。

それは、新卒入社をする学生に限らず、いまどこかで働いているすべての社会人にも言えることだと思います。

「志」という漢字の成り立ち、語源を調べてみると、中国で生まれた漢語ではなく日本で生まれた大和言葉だそうで、もともとは「心指し」だったという説があります。つまり、「こころの指す方向」が志、ということです。「こころ」の「之」（ゆく）方向で、「志」。さらに、この「志」という漢字には「感謝」という意味がもともとあるそうです。だからのし袋などには「寸志」と書いてあるそうです。

「こころの指す方向」「感謝のある方向」。これらが、「志」ということばの原義であるとするならば、それはコンパスの針のように、じぶんのこころが勝手にそっちを向いてしまう方向に進むこと、感謝をしたい（恩返しをしたい）方向に進むこと、なんじゃないかと考えました。

そこに、じぶんならではの強みや得意なことが乗っかっていたら、よりいいんだろうなと思います。

## ――「そうすると決めている」

じぶんの主観を大切にするために、**「じぶんだけのルールを決めておく」**という方法をおすすめします。

約束には大きく2つ、「他人との約束」と「じぶんとの約束」があります。

「他人との約束」というのは、どんなに小さなものでもそれを果たせば信用が積み重なっていきますし、守れなかったときは信用を失うし、怒られる可能性だってあります。だから、なるべく約束を守ろうとしますし、約束は守ることがあまりまえであるという認識の前提があります。

一方で、「じぶんとの約束」というのは、それを守ろうが破ろうが、はっきり言ってだれからも褒められもしないし、怒られもしません。だから、「じぶんとの約束」を守るというのは、とてもむずかしいものだと思います。


よく「あの人は、とても忙しいだろうに、どうしてあんなにちゃんと読書や映画を観たり、定期的に旅行に行ったり、ジムにトレーニングに行ったりできるのだろう…?」と思うような人がいます。実際にぼくの近い知り合いにそういう人がいて、その人に「どうして、そんなことできるんですか?」と尋ねたことがあります。するとその人は言います。「そうすると決めているから」。なーるーほーどー。お笑いコンビ「COWCOW」のおふたりならば「あたりまえ体操」を歌ってしまいそうなほど身も蓋もない回答だけれども、そうすると決めているから、やれている。

まわりの人がなんと言おうが、知らなかろうが、じぶんで決めたことをやる。ことばでは簡単ですが、これは「主観」を大切にするための大事なトレーニングだと思います。

ちなみに、ぼく自身の「やると決めていること」は、

「バスやタクシーを降りるときは、安全に目的地まで送りとどけてくれてという気持ちを込めてかならず『ありがとうございます』と運転手に伝える」

「どんなに夜遅くまで飲んでも翌朝はこどもとおなじタイミングで起床する」

「体重を毎日測って記録する」（カレンダーに記入しています）

など、無意識に過ごしてしまうとダラダラとしてしまいそうな日常生活の習慣を、きちんとじぶんの頭で考えてルールをつくり、それをやると決めて、やる。

あと、だれにも発表しないような「じぶんだけのスローガン」みたいなものもありまして、

**「ゆ〜モア」**

**【意味】** ゆずる・ゆるす・ゆとりという3つの「ゆ」をmore（もっと）

こんなフレーズを、たまに思い出しています。人になにかをゆずること、他人を許すこと、時間にゆとりを持つこと、これを保っていたらぼくのようなセッカチな性格の人間は、ある程度人間としてのベースが保たれるので、日々心がけています。「ない」からこそ「ある」ように心がけているものです。

ぼくは、まったくストイックな性格ではなく、むしろ「なんとかなるでしょ」という気質の人間なので、ほかの人にとっては簡単なことでもじぶんに課してちゃんとやることで、自己肯定感を高めているのかもしれません。こういった習慣を積み上げていくことで、じぶんを丁寧にメンテナンスしているような気分になれます。

それと、**「オフ」**の時間も意識的に大事にしています。

2019年にラグビー日本代表の山中亮平選手とふたりで「OFF THE FIELD《オフザフィールド》」という

日本全国のこどもたちにラグビーボールをプレゼントするプロジェクトを立ち上げました。これは、ラグビー選手である山中亮平がグラウンド以外での活動、つまり文字通りオフ・ザ・フィールドでも、ラグビーをひとりでも多くのこどもたちに触れる機会をつくりたいという想いからスタートして、コロナ禍をのぞいてこれまで2000個以上のボールを国内のあちこちの幼稚園と小学校にとどけることができています（原資はチャリティーグッズの販売です）。このプロジェクトをはじめてからのアスリートとしての心境の変化を山中選手はこんなふうに語ってくれたことがありました。

「こういう競技以外の活動を現役アスリートがやると『そんなことやってる時間があるなら練習しろ』と思われるんじゃないかと思っていたけれど、いざやってみて思うのは、こういう活動をするために現役アスリートとして日本代表で活躍しつづけたいっていうモチベーションになっている」

一般的には、「オン」があるから「オフ」がある、という認識が広くあるのかもしれません。ですが、新品のスマートフォンだって、まずは充電をしてエネルギーをチャージしてから起動できるように、まず先に「オフ」があるから「オン」があるのだと山中選手の話を聴いて思いました。

そして「オフ」というのは、意識しないとじぶんでじぶんをごまかして、ないがしろにしてしまいがちです。なので「そうすると決めている」とキッパリ決めて、「○時以降はパソコンを開かない」とか「土日はかならず○○をしてリフレッシュする」などして「オフ」を強制的にでもつくり出したほうがいいです。すべては、ことばやアイディアを生み出す貴重な「わたし」を、大切にメンテナンスして調子よくいてもらうためです。

## ひとりの時間を大切にしよう

「わたし」と向き合うためには、「ひとりの時間」が重要です。

「ポケモン」が大好きな息子と一緒に『ポケモン大図鑑』という本を見ていたときのことです。

そこに、四六時中怒っているという「オコリザル」というポケモンのキャラクターがいました。「かいせつ（解説）」のところにはこう書いてあります。「まわりにだれもいないときだけは、おこるのをやめている」。なるほど、おもしろいなぁと思いました。

たとえば、SNSで見かけるだれかへの批判だったり、テレビで見る「反対デモ」だったり、そこにいる人たちはみんな基本的には「怒って」います。それは、見てくれたり聴いてくれたりする相手がいるから、怒っているのではないかと思ったのです。そうです、「オコリザル」のように、まわりにだれもいないとき、たったひとりのときでも、怒っているのだろうか、と。

だれかを熱心に攻撃しているような人たちだって、たったひとりで静かに目をつむって、じぶんは素直にどう思っているのかということを考える時間があると思います。ほんとうのほんとうに、じぶんはあの人に死んでもらいたいと思っているのか、ほんとうのほんとうに、そのイベントや施策を中止させたいのか…など。

「ひとり」のときのじぶんこそが、ほんとうのじぶんだと思います。

前述の通りぼくはサーフィンをやっているのですが、海の上にひとりで浮かんで波を待っているとき、ふと「地球ってめちゃくちゃデカくてこの海の先にはとんでもない海が広がっていて、その小さなたったひとつのポイントにいまこうして浮かんでいて、オレってほんとにちっぽけな存在なんだなぁ」と、ヘンに感傷的な気持ちになることがあります。

同時に、まわりの人はみんな沖の向こうの波を見つめていて、当然だれもぼくのことなんか見ていません。そういう、ほかのだれかを意識していない、**「だれにも見られていない」ときにどんな行動をしているじぶんなのかが、じぶん自身である**と感じます。家のじぶんの部屋でゴロゴロしているときも「ひとり」ではあるのですが、海という大自然のなかでひとりポツンといるときに、そんなことを考えてしまうのは、なぜなのでしょうか。

また、「ひとりの時間」を通じて、じぶんの主観を豊かにしていく日々の習慣としてぼくがやっていることに**「メモ」**があります。

iPhoneの「メモ」アプリに**「思ったこと」**というフォルダをつくって、そこに、文字通りふと思ったことをサッとメモします。だいたいが1~2行のシンプルなものです。1日にだいたい平均で4~5つくらいメモしています。

たとえば、直近この3ヶ月ほどの「思ったこと」フォルダにはこんなメモがあります。

人さまに見せられそうなものをピックアップしますと…

「中華料理は世界中どこに行っても味がブレない」

「ミュージカルには目のまえの現実なのに非現実というパワーを感じる」

「自由とはノーと言えることではないか」

「ホンモノだと思う人は近くの人に慕われて遠くの人に嫌われていて、ニセモノだと思う人は遠くの人から慕われて近くの人に嫌われてる」

「カッコいい人は『カッコいいとはなにか？』など考えていない」

「すでに決まってしまっていることに帳尻を合わせている議論が多く感じる」

「最近のベローチェの進化は目を見張るものがある」

「書店で旅行雑誌を手にする人が増えた（2023年5月15日）」

「スタバでソイミルクよりオーツミルクやアーモンドミルクを頼む女性が増えた」

「母親にとって外食に行くうれしさは献立を考えなくてもいいことかもしれない」

「『それで言うと…』と『そ、お、で、す、ね』はおなじ意味」

「腹筋ローラーをはじめて1ヶ月、腕時計がゆるくなってきてるのはなぜ」

「なんでも○○感と『感』を付けるだけで単語が軽くなる」

「みんな『ここじゃないどこか』を見ている」

「Z世代って『責任』と『不正解』をおそれている？」

「決め方を決めるのがいちばんむずかしい」

「『やらない』ためには『やらなきゃいけない』がたくさんある」

「高いものがいいわけではないが、いいものは高い」


…このような感じで、生活していてふと思ったなんでもないことや、なにかを見て思ったことや疑問、なんの根拠もない仮説などなど、だれにも見せるわけじゃないので自由気ままにメモしています。

このメモは、たまに見返して、「あぁ、このときこんなことを考えていたっけな」と振り返ることもありますし、仕事でなにか企画を考えるときのヒントのたねとして活かすこともあります。この習慣のいいところは、**じぶんの流れ星のように一瞬で消えてしまう「ふと思ったこと」を、瞬時にカメラで保存しているような感覚**があり、じぶんのことを客観的に観察することにも役立っているところです。

ちなみに、日頃のメモの習慣として、自宅の引き出しのなかに「ほぼ日手帳」をしまっていて、そこには一日のおわりに「その日あった出来事」を万年筆で記しています。たとえば、「○○さんとミーティング」「○○で夕飯」など、いわば、客観的な事実だけを書くメモです。書き留めておかないと忘れてしまうようなことほど、あとで見返すと「こんなことあったな」とうれしくなるものです。

たまに、そのときに「どうしよう」と悩んでいることを書くこともあります。それは、あとで振り返ってパラパラと読んだときに、「あれ、これ、結局なんとかなってるな」と思うことが多くておもしろいからです。なんだ、そのときは「どうしよう」と頭を抱えていたようなことでも、**あとから振り返ってみたら、あんがい大したことなかったじゃん**と、過去のじぶんのメモから勇気のようなものをもらえるのがうれしいんですよね。いわば、未来のじぶんへの「大丈夫だよ」という手紙のように書き残しています。

なにも意識せずに暮らしていると、どうしても「他人の考え」ばかりをじぶんの目や耳に入れてしまうことになってしまいます。だからこそ、「じぶんの考え」と向き合う「ひとりの時間」を意識的に持つことが大事なのではと思います。

## ――ためしに遺書を書いてみよう

　また、「ほんとうのじぶんのこころ」を知るための遊びのようなワークショップに**「遺書を書いてみる」**という手があります。ひとりの時間に、だれにも読ませないじぶんだけの「遺書」を書いてみるのです。

　これまでの人生を振り返ってみて、どんなことを後悔していて、こんなことをしておけばよかったとか、どんな時間がしあわせだったのかとか、だれに対してものすごく感謝しているだとか、「それっぽく」この世へのお別れの文章を書いてみるのです。「あした死んでしまう」という仮定のルールで。

　ぼくも、実際に書いたことがあるのですが、書きながら涙がとまらなくなってしまいました（ヘンな奴ですみません）。

　そして書き終えたあとに、「でも、現実の世界では、まだあしたも生きているんだよな」

ということを思い出して、「後悔していることをやり直せるし、大切なものを大切にできるぞ」と、不謹慎ですがちょっとお得な気分になれました。

この「だれにも読ませないじぶんだけの遺書を書いてみる」というワークは、「どんなふうに死にたいのか？」を考えることを通じて、**「わたしはどんなふうに生きたいんだろう？」**ということを考えるきっかけにもなります。人生を引いた目で遠景から眺めることで、いまやっている仕事がめざす人生のゴールにとってどんな意味があるのかも見いだせるかもしれません。

義理の祖母のお葬式に出たときのことです。その祖母には一度しかお会いしたことがありませんでしたが、妻が幼いときから敬愛するすばらしい生き方をされたという女性でした。実際に、葬儀に参列されていた方々が、みな異口同音に「ほんとうにお世話になりました」と感謝のことばを伝えていたのが印象的でした。

お葬式の帰り道に思ったのは、**1の『おめでとう』より、100の『ありがとう』をもらえる人生のほうがいいな、**ということでした。

「おめでとう」がうれしいのは、じぶんだけ。けれど、「ありがとう」は、言ったほうも言われたほうも、おたがいにうれしい。人の役に立って、だれかのこころを温める存在になって、じぶんのお葬式にきてくれた人がみんな、「ありがとうね」って手を合わせてくれるような生き方をしていかないとな、と改めて思いました。

人間、ほんとうにいつ死ぬかわからないからこそ、会えるときに会って、好きなことをして、この世を去ったときに人から「ありがとう」と言ってもらえる生き方をしないといけないと。

日本発の世界的に有名なファッションブランドである「コム・デ・ギャルソン」のメッセージに、**「LIVE FREE DIE STRONG」**（自由に生き強く死ぬ）というものがあり、昔からずっと好きなことばです。

「どんなふうに死にたいか？」

遺書ワークを通じてそれを考えてみると、「わたしのほんとうの気持ち」という主観に出会えるかもしれません。

# 第 4 章

# 主観の伝え方〈姿勢編〉

## 受け手のひとりとしてのじぶん

「人への伝え方」の本は、たくさんあります。
「わたしへの伝わり方」は、あまり見ません。

みなさんは、じぶん自身が、どんなものを「伝わった」と思っているのか、じぶんのことを知っていますか（または知ろうとしていますか）。

「どうすれば人にうまく伝えられるだろう？」と考えると答えにたどり着くまでに時間がかかりそうですが、それよりまずは**「わたしには、どんなものが伝わっているだろう？」**ということを考えてみませんか。これは、「答え」はじぶんの胸のなかにあるものです。

じぶんがどんなものを「伝わった」と思っているのかを知ること。それを掘りつづけた先に、「人にも伝わる」ことのヒントがあるように思います。

大前提として、**ぼくらはみんな「見る目はある」**と思うのです。

つまり、「いいことばかどうか」の判断は、どんな人でもできるのです。

料理にたとえるとわかりやすいかもしれません。「おいしい」とか「まずい」って、だれでも言えますよね。

でも、「じゃあ、厨房に来てじぶんがおいしいと思う料理をつくってみなさい」と言われるとどうでしょう。そうなのです。「つくる」（書く）と「食べる」（読む）は、全然ちがいます。

ことばも似ているように思います。

「食べる人」（読む人）として、ことばを見るときは「いい」か「わるい」かの判断は、わりとだれにでもできます。でも、「つくる人」（書く人）になった途端に、「まずい」ものをつくってしまうのです。

じゃあ、どうやって「つくる人」（書く人）としてのじぶんを鍛えるか？

それが、**「食べる人」（読む人）としてのじぶんを鍛えること**です。

電車に乗っているとき、スマホから目を離してすこしだけ上の角度を見てみてください。たくさん「ことば」が並んでいますよね。

最近だと、「脱毛しよう」とか「髪をフサフサにしよう」とか多いですが、「広告」のなかにたくさんの「ことば」がありますよね。

それをひとりの生活者として見て、どう思ったのか。それを感じて考えることを繰り返していくと、だんだん「あぁ、じぶんはこういうことばにドキッとするんだ」とか「こういうことばに興醒めするんだ」ということがわかると思います。そこから、じぶんが「伝わった！」ということばの法則を探していきます。

たとえば、ぼくがすこしまえに「おお」となったのは、**「きみのこと、百パーセント共感できないから好き。」**というポスターのコピーでした（「earth music&ecology」の広告）。なるほど。「100%」じゃなくて「百パーセント」って書くとデータというよりすこし文学っぽくなるなとか、ふつうなら「共感できないから、嫌い」とくるのに「好き」になる脱・予定調和がきっと効いたんだな、とか、考えるわけです。

すると、「受け手としての目」が肥えていき、じぶんが書いたことばを、受け手のひとりの目に切り替えて見たときに、健全な目でダメ出しができるようになります。また、そこで考えたことをじぶんが文章を書くときに応用することもできます。

なにを食べたかがその人のカラダをつくるように、ことばも、なにを聞いたり読んだりしてきたのかで、その人から生まれてくることばが変わると思います。

それは「広告のコピー」である必要はまったくありません。たとえば、RADWIMPSの『前前前世』っていうタイトルは、すごいですよ。「Z」の濁音の強さもあるし、「前世のその前の前!?」というフックもある。『嫌われる勇気』という書籍タイトルもすごいですね。人はみんな好かれたいものなのに、「嫌われたい」ってどういうこと…？　ってなりますよね。

歌詞からでも、雑誌からでも、友人のさりげないひとことでも、SNSから流れてくるつぶやきでも、なんでもいい。わたしたちの暮らしは想像以上に「ことば」であふれています。それを、すこしでも意識しながら「あ、いいな」とか「うわ、キモ」と思って、その原理原則をつかんでいくこと。それが、「食べる側」から「つくる側」の人に近づいていく、遠回りだけれど近道だと思うのです。

「いやいや、じぶんひとりがいいと思っていても、みんながいいと思うものとは限らないですよね？」

そうですよね。「君は君で僕は僕／そんなあまりまえのこと／何でこんなにも簡単に／僕ら／見失ってしまえるんだろう？」と、Mr.Children も『掌』でうたっている通りです。でも、ですね。いいんです。これまでもなんども書いてきた通り、そもそも「みんながいいと言う正解」なんてないんです。

たとえば企業の理念やスローガンを決めるとき、「いろんな人の声を集める」とどんどん迷路にはまっていきます。「好み」で判断すると人それぞれ視点がちがうからです。だからこそ、好みではなく、「なぜそのことばをつくるのか？　そのことばに、どんな役割を担ってほしいか？」を考えることが大事です。

そしてそれは、経営者（責任者）か、数多くの成功も失敗も経験してきたプロのコピーライターにしか判断できないものであり、「わたしの個人的な意見ですが、これがいいと思います」と言うしかないのです。みんなが納得する当たり障りのないことばなんて、もうそれは、「あってもなくてもいいことば」です。

**組織のことばは、つくったあとにみんなでよくしていくもの**なのです。だからこそ、組織にいる人たちみんなが「このことばがいいんだ」と、信じていることのほうが大事です。

## ことばのテクニックより大事なこと

コピーライターはよく**「どう言うかより、なにを言うか」**を考えなさいと教えられます。なにかを美しく描写する表現やレトリックを使うまえに、まずは伝えたいことのど真ん中はなんなのか？　ということ（「切り口」とか「コンセプト」なんて言うこともあります）を考えることが大事で、レトリックはそのつぎ、ということです。

ですが、「なにを伝えるか」をコピーライターが考えること自体が、実はナンセンスなんじゃないかと個人的には考えています（受託仕事である場合）。

なぜならば、本来であればそれはそのキャッチコピーの仕事を依頼する側がそれを事実として用意していることが前提だと思うからです。つまり、圧倒的にすばらしい企業姿勢や実績、あきらかに画期的な商品やサービスが先にあれば、おのずといいコピーは生まれるはずですから。

たとえば「日本茶を流行させるためのコピーを考えてください」といった、カテゴリーや業界そのものの売り文句を考えるとなると、もはや大喜利のようになってしまって、「どう言うか」の勝負になってしまいます。

反対に、こんな茶農家さんたちが、こんな背景や想いを持って、こんなに便利でおいしい日本茶を開発したんです、というストーリーや事実があれば、それをそのまま表現するだけで多くの人に「それはぜひ飲んでみたい」と思ってもらえるはずです。

ですから、コピーライターとしてはそういった商品開発の段階から携わる仕事ができる打席に立つことや、そういったユニークな取り組みをしている企業や志のある経営者と出会うことが、いい仕事を世に出すために大事なことである、とも言えます。中身のないものをことばの技術だけで売ろうとしたり、好きになってもらおうとしたりするのは、社会にとってもその企業にとっても、じぶんにとってもあまりいいこととは言えません。

さて、ここまで「どう伝えるか」というテクニックよりも「なにを伝えるか」という事実が大事であると書きました。

ですが、実はそれよりももっと大事だと思っていることがあります。

それは、**「だれが言うか」**です。

ことばには、発信する送り手がいます。そのことばを言っているのは、だれなのか。その人、あるいはその企業（法人）がどんな人であるのか、ということがメッセージの質を左右します。

**「この、バカ！」**

このセリフを、普段からいじわるで嫌いな上司に言われるのか、こころから尊敬する先生から言われるのか。おなじことばでも話者によって、受け取る人のメッセージから得られるイメージはまったく変わります。

「お前が言うな」というツッコミがありますけれども、ことばの表現を鍛えるまえに、まずは、「この人が言う（書く）のだから、まちがいない」と思われるために努力をするほうが、よっぽど多くの人に信頼される書き手になれます。もっとド正面から書いてしまうと、**言語化力を鍛えるまえに、人格を磨け**、ということです。

ほんとうは大しておいしくないなと思った料理を、お金をもらっている（もらえる）から と、無理やりことばをこねくり回して美辞麗句を並べても、仕事を依頼してくれたクライアントはその場ではよろこんでくれるかもしれませんが、長い目で見ればその書き手は信用を失ってしまっているのではないでしょうか。

あまりまえと言えばあまりまえのことなのですが、あんがいそのことを意識している書き手の人は少ないように思います。

なんども書きますが、「あしたからすぐ使えるこころに刺さるキャッチコピーの24のパターン」のようなものはこの世に存在しません（たぶん）。**「考え尽くす」**しかないのが現実です。

「どうすればこの複雑な内容を端的に伝えられるだろう…？」「このことばを書いている理由はなんだったっけ…？」「このメッセージを発信したらポジティブとネガティブそれぞれどんな反応があるだろう？　それに対して、なんて答えるだろう…？」そんな問いをみずからに根気づよく立てつづけて、「これなら伝わるかもしれない」と、ちょっと臆病な姿勢くらいで書いたことばがやっと伝わるものです。

そして、前述したとおり、「さ、いいコピーを書くぞ！」と机に座っているときに書き手としてのスイッチを入れるのではなく、オフになっている普段からの「わたし」を鍛えることが大事だと思います。

普段から人の話をちゃんと聴かなかったり、嘘ばっかり言っていたり、電車でお年寄りや妊婦さんに席を譲れなかったりするような人が、**人のこころを動かすようなことばを生み出せるとは到底思えません。**

なぜなら、そのようなことばを書くためには人の話を謙虚に受け止められなくてはなりませんし、「この人の言うことなら信じようと思う」と思ってもらえませんし、他者を想うやさしさがなければ人によろこんでもらえません。

なにより、あなた自身、そうじゃない人の書いたことばを素直に信じて受け容れられますか…？

# 「伝えるじぶん」のまえに「伝わるじぶん」

書店に行くと「どうしたら伝わるか？」というテーマの本をたくさん見かけますが、ぼくが考えるほんとうに大事なことは、ここでも「わたしはどうだ？」だと考えます。

そこで、いきなりですが、質問です。

**【問】最近、憶えていることばはなんですか？**

本やSNS、電車や街中で目にする広告などどこかで読んだものでも、だれかから直接聞いた話でも、あるいはご自身が書いたり言ったりしたことばでもいいです。

どうでしょう。すぐに思い出せましたか。あんがい、パッと出てきましたか。

一日のうちに、「まったく文字を読まない」「ことばを話さないし聞かない」ということはないと思います（むしろ現代ではそういう一日の過ごし方が貴重になっていますね）。けれども、そのなかにすぐに思い出せるような印象的なことばというのは少ないのではないでしょうか。日々、たくさんの情報を朝から晩までインプットしているなかで、人の頭やこころに「憶えられる」というのは非常にむずかしいことだということがわかります。

「これまでの人生で忘れられないことばは？」という問いならば、いくつか出てくる人は多いのではないでしょうか。

すぐに「あそこのセリフかなぁ」とか「あ、このことばだな」と出てきた人もたくさんいらっしゃると思います。家族や友人から言われたセリフだったのか、好きなタレントがＳＮＳで投稿していた文章なのか、たまたま流れてきたラジオの声だったのか…。

ではもう一度ご自身が忘れずにいたことばを頭に思い浮かべながら、つぎの質問です。

**【問】どうしてそのことばがこころに残っていると思いますか？**

さて、いかがでしょう？

## ――こころで生きていることばは？

ここで、ぼく自身のこころでずっと生きている「忘れられないことば」のなかからとくに印象的なものをご紹介させてください。

まず、「ミナ ペルホネン」というブランドの創業者である皆川明さんからいただいたことばです。

皆川さんとは、ぼくが27歳のときに知人の紹介でたまたまお会いする機会があり、皆川さんがオーナーを務められているという都内のレストランに食事に誘っていただき、おいしい料理をご馳走になりました。なにより多くのことばを交わさせていただき、いま思い返してみても貴重な時間でした。お別れをしてその日の夜遅くに、ぼくは皆川さんに御礼のメールを送りました。するとすこし時間を置いて「受信箱」に返信がとどき、いくつかの段落に分かれていたメールの画面の中心部分にはこう書いてありました。

**「吾郎さんは僕の27の時より人間の力を感じます。きっとじぶんの道でなす人だなと感じていました。人にも愛される人柄だし。吾郎さんがどんなに立派になってもきのうのように普段の友人としてこれからもよろしくお願いします」**

当時のぼくは、今よりなにも成し遂げられていなかったけれど、「もっと認められたい」「まわりの奴には負けたくない」という自意識だけは高い生意気なザ・若者でした。そんな必死さがあるなかで、皆川さんはぼくのような人間のことをひとりのおなじ人間として接してくれて、さらにぼくの話を真剣に受け容れてくれて、当時のじぶんにとっての希望や自信を与えてくれました。きっとなんの根拠もなかったと思うのですが、実際にそのあとなんどもいろいろなつらいことがあったときに、このメールを見返してじぶんを奮い立たせていました。

同時に、皆川さんのように、どんな若者に対しても横柄な態度を取らず敬語で話し、「その調子でいいぞ」と背中を押してあげられるような器の大きなオトナでありたいとずっと意識してきました。実際に、就職活動をしている大学の後輩などから連絡がきてはじめてお会いするときは、決して先輩ぶらずに、話すときは常に敬語で、じぶんの社会人経験を上から目線で語らず、相手の話をなるべく多めに聴いて、別れたあとには皆川さんのように「あなたのこんなところがいいと思いました、きっと未来は大丈夫ですよ」というエールのようなメールをずっと送ってきました。

そこには、じぶんがそうしてもらったように、ひとりでも多くのじぶんより若い人に「勇気」を与えられることばをかけられたら、という想いがあります。

また、ぼくは出会ってきた先生にも恵まれた人生でした。数々の恩師のことばが、ぼくの胸のなかにずっと生きています。

**「いまの世の中、すこしがんばればじぶん一人分の幸せなら割と簡単に手に入れることができます。そこからいかに他者や社会のために尽くしてよろこばれるか。その充足感こそが、ほんとうの幸福だと思います」**

これは、小学校6年生のときの担任である徳留先生からの手紙に書かれていたことばです。この先生は、ぼくに文章を書くことのおもしろさを教えてくれた先生でした。

小学校を卒業して中学校に進学したあとも夏休みやお正月にはかならず徳留先生にハガキを出して近況を報告していました（大学生くらいになると先生にハガキを出すことはなくなってしまいましたが…）。

高校生のときだったでしょうか、いつものようにぼくの送ったハガキへの返信の手紙に書かれていた文章が右記のもの。この文章は、人生の岐路に立つたびに思い出していたことばでした。

徳留先生は、作文の授業で書いた生徒の文章のなかから「これは」と思ったものをすべてワープロで書き起こして学級通信として週になんども生徒たちの文章をみんなに配布していた先生でした。余談ですが、とにかく達筆な方で書道家のような文字を書く先生でした。

じぶんの書いた作文を一対一で添削してくれるだけではなくおなじクラスの同級生、そして保護者の方にじぶんの書いた文章を読んでもらえて、感想やリアクションをもらえる機会になっていたのです。クラス全員分の作文をすべて読んで、さらにいくつかの原稿をすべてワープロに打ち込んで、レイアウトして印刷して…いま今思えばとても骨の折れる作業だったにもかかわらず、ほんとうにひとりひとりの生徒に真摯に向き合ってくれていたことにいまでも頭が上がりません。この先生の編集・発行する「学級新聞」が、ぼくの文章を書くことのうれしさを味わった原体験だったのかもしれません。

最後にご紹介する恩師からのことばは、高校時代のドイツ語の先生だった相原先生からいただいた手紙にあった一節です。

先生は定年間近の大ベテランの先生で、いわゆる見た目は「おじいちゃん」(失礼!)。いまの時代ではちょっとアウトと言われるような生徒とのコミュニケーションをする、昭和テイストがつよめの生徒たちにおそれられるような厳しい先生でした。けれど、ぼくには相原先生のその厳しさの奥には、愛があると思っていました。そのときは面倒くさいと思っていても、あとになってから感謝したくなるようなタイプの先生だったのです。

高校を卒業するときに、担任ではなかったけれどドイツ語の授業でとくにお世話になった相原先生に、感謝を伝える手紙と、美術の時間につくった先生の名前入りの手づくりの器をプレゼントしました。すると大学入学前の春休みに、自宅に先生からの封筒が届きました。そこには決して安くない金額の図書カードと便箋が2枚入っていました。

**「また、手捻《てびね》りと書簡！　ほんとうに有難う。二つの品は私の宝、大事にしてゆく。書簡を読んで、すでに失ってしまったと思っていた心情がまだ命脈を保っているのが判って、たいへん嬉しかった。つまりグッと来たものである。人間、感動出来る内は生きているといえる。私は生きている。家内に読ませたところ忽《たちま》ち顔に赤みが差し、涙腺を緩ませていた。文章で未知の人を泣かせるとは、大した文才、そしてその書き手の人柄の故であろう。こうした立派な人間を育成されたご両親はいかなる方々かと二人して想像しあった昨の夕食であった。ともあれご両親に大なる敬意を表する我々である。なお同封は心ばかりの祝いと礼の印、どうか受け取ってほしい」**

実は、ぼくは高校1年生のときに留年してしまっていて、両親に多大なる迷惑をかけてしまいました。経済的にも世間的にも申し訳ないなと16歳ながらに引け目を感じていて、そんなじぶんが4年かけてやっと高校を卒業するときに相原先生からのこの手紙を読んで、すこしだけ報われた気がしました。じぶんは社会の落第者かもしれないと思っていたにもかかわらず、「文才がある」と言ってくれて、さらには「こうした立派な人間を育成されたご両親はいかなる方々か」と、先生のように尊敬するオトナが思ってくれていたのですから。この先生のことばは、ぼくが文章を書くことで生きていけたらいいなと思う大きなきっかけのひとつでした。

ほかにも、2回目の高校1年のときに(留年しているので…)、「全国高校生小論文コンクール」という公募賞で佳作を受賞したことがあり、これは当時の国語の恩師が「この文章はいい」とアドバイスをしてくれたおかげで運よく受賞できて、この経験も書くことへの自信につながりました。すべて出会ってきた先生たちのおかげです。

なにか権威のある機関からの授賞でもありませんし、いまでいう「バズった」わけでもありませんが、たったひとりの人からの「褒められた」という経験が、たったひとりのぼくの人生の道標をつくってしまった、ということです。

だからこそ、じぶんもだれかにとってそんな存在になれたらという想いがあり、できるだけ普段から、出会った人に対して「こんなところがすばらしいですね」と伝えるようにしています。

じぶんのことを褒めてくれた人のことを、貶す人はあんまりいないんじゃないでしょうか。だいたいが「おたがいに嫌い合っている」か「おたがいに好き合っている」かのどちらか。だれかにイヤなことを言われたから、またちがうだれかにイヤなことを言ってしまうような「ことばのネガティブ連鎖」のようなものがあると思います。

もちろん、なんでも褒めればいいわけではありません。最も大切なのは、**ちゃんとその人の言動を見たり話を聴いたりした上で、相手のいいところを伝えること**です。見てくれていない、聴いてくれていない人からいくら褒められたって（反対に叱られたって）、そのことばはまったく響きませんから。そういう意味でも、やっぱりことばというものは、「どんなことばを書くか（話すか）」のまえの「姿勢」が大事なのだと思います。


余談ですが、いわゆる「コロナ禍」だったとき、その人の**「後ろ姿」**を見る機会が減ったように思います。オンラインミーティングなどで画面越しに会う人というのは、いつも正面を向いた姿のみ。人の「背中」から学んだり、なにかを感じたりすることは山ほどあると思うのです。

組織には、じぶんのことを話したり、アピールしたりするのがヘタな人がいます。そういう人たちを、まわりの人がきちんと「見られなくなった」ことは、コロナ禍の大きな損失のひとつだと思っていました。

マーケティングの本には「消費者の本音を知りたいのならば、アンケートなどの『発言』ではなく、その人の『行動』を見よ」とあります。なにを言ったかではなく、なにをしたのか。そこに人間のほんとうのところがあるということです。
そしてそれは、「後ろ姿」、つまり本人がまわりの目を気にせず行動している姿にあるのだと思います。

以上が、ぼく自身が「伝わっている」と感じていることばたちでした。
ちなみに、右に書いたようなずっと忘れず憶えているような「こころで生きていることば」には、つぎのような特徴があるのではと整理してみました。

ぼく自身の、「こころで生きていることば」の特徴

**①嘘のないことば**
**②欲していたことば**
**③思いがけないことば**

ひとつずつ説明します。

①嘘のないことば

嘘がないというのは、「ほんとうの気持ちがあること」とも言えます。それは、恥ずかしかったり言いにくかったりすることばかもしれません。けれど、勇気を振り絞って言ったことばや、赤ん坊が泣き叫ぶようなまわりの目を気にしない丸裸のことばにはグッときます。

嘘がないということは、「事実がある」とも言えます。企業の広告メッセージや政治家などの発言もおなじだと思います。「やります」よりも「やりました」のほうがことばの重みがある。まずはことばにするよりも、日頃の行動、事実のほうが大事で、それがあるからこそ生まれることばが強くなるのだと思います。

②欲していたことば

たとえば書店で平積みされている本を眺めながら、気になって手に取るものというのは、「欲していたことば」ではないでしょうか。そのテーマについて興味がある、じぶんの考えていたこととおなじことが書いてありそう、など。カラダの水分が減ったら自然とのどが渇くように、じぶんを満たしてくれるようなことです。ある意味では、「背中を押してほしい」ことばとも言えます。

③思いがけないことば

これは、②の欲していたことばとは相反するものです。スティーブ・ジョブズが「人は、目のまえに形にして見せてもらうまで、じぶんが何を欲しているのかわからないものである」と言った（らしい）ように、あるいは、自動車を開発したヘンリー・フォードが「もし顧客に、彼らの望むものを聞いていたら『もっと速い馬がほしい』と答えていただろう」と言った（らしい）ように、人間はじぶん自身がなにを欲しているのか無自覚な面もあります。だからこそ、「え…！」と意表を突かれることばに出合ったとき、こころが動くのではないでしょうか。「鬼コーチ」から別れのタイミングで、とびきりにやさしい愛のあることばをかけられたときのように。漫画や映画などの作品でも、「ええ……！　あなたが、そこで、それを言っちゃうの⁉」といったことばは、読者や視聴者のこころを動かすことばになるものです。

以上、ぼくというN＝1のデータでは、これらのポイントを押さえていれば「伝わることば」になる可能性が高まり、反対にじぶんが送り手として「伝えたい」ときに心がけるべきポイントでもあります。

あなたにとっての「伝わることば」とはなにか。ぜひ、考えてみてください。「どうしたら人に伝わることばを書けるようになるだろう？」と考えるまえに、まず、じぶんはどんなことばを「伝わった」と思っているのかを見つけることが大事だと思うのです。

話はすこし逸れますが、**ラグビーというスポーツにおける「パス」のうまい人は、「キャッチ」のうまい人**だと言われています。パスをするときにとても大事なのが、あの楕円球という扱いにくい形をした大きなボールを「いかにちゃんといい形で握れているか」なのです。ここで言う「いい形」というのは、ボールに最も力が伝わる両手のポジション。基本的にはだれかのパスを受け取ってからパスをしますから、キャッチしてからすぐにいいパスをするためには、いいキャッチがとても大事なわけです。なので、**いいキャッチが、いいパスを生む。**パスの練習をするとき、むしろキャッチの練習をするくらいです。

いいパスをするまえに、いいキャッチを意識すること。コミュニケーションもおなじではないかと思います。

## 文字のやりとりを制する者が仕事を制する

世の中にはいろいろな仕事がありますが、老若男女だれもがスマホを持っている時代に「テキストを入力してやりとりをする」という機会が増えています。どんな現場仕事の人でさえ、当日までの約束のやりとりや面接を受けるときなどに文字を使うシーンがあると思います。

いわば、文字を通じたテキストコミュニケーション。あらゆる仕事の基礎は、この「人となにかをやりとりする」という、「調整」の部分にあると思っています。料理で言えば、下準備。材料を買いそろえて下味をつけるような段階。この下準備がしっかりできていることが大事です。

文字のやりとりを制する者が仕事を制する。おおげさかもしれませんが、そのように思います。では、どうすれば仕事における文字のやりとりを制することができるのでしょうか？

それは、**「ラリーの往復回数を減らす」**ことであると思います。

たとえば、ですが、待ち合わせの連絡をするとき、「明日は井の頭公園駅に8時でお願いします」とメッセージを送ったとします。送った側からすれば、頭のなかにどこで何時に集合するのか曖昧な部分はありませんが、受け取った側からこのメッセージを眺めてみると、「駅の北と南、どっち側の出口だろう…？」「8時って、もちろん午後だよね…？」など、気になってしまう可能性があります。そうなると、それに対する返事が必要になり「すみません、南口で20時です」とラリーが1往復分増えてしまいます。

メッセージの往復を減らすためには、**「なるべく向こう側に立つ相手の目線になって読んでみる」**ということが大切です。その心構えをもって丁寧に文章を書いてみると結果的にやりとりのラリーは減るものです。

じぶん目線のまま相手のことばを渡してしまう人のことを、**「じぶん向きで名刺を渡す人」**と勝手に呼んでいます。名刺を渡すときは、当然、文字を相手の向きに合わせて差し出しますよね。ところが、コミュニケーションにおいて、じぶんに向けたまま相手にことばを渡してしまっている人がいます。きちんと伝わるいい文章、コミュニケーションというのはまさにこの「相手側に向けて差し出す」ものです。「これってどういう意味ですか？」というやりとりを1回でも減らすことを意識して、丁寧に文章を書く姿勢が大事です。

意外と思われるかもしれませんが、**コミュニケーションの主役は、「送り手」ではなく「受け手」**です。「馬の耳に念仏」と昔の人は言いましたが、こちらが発したことばを受け取ってくれる人がいてはじめて、そのことばはコミュニケーションとして成立します。「こちらが言いたいこと」よりも「向こうの聞きたいこと」を書くことが鉄則である、とコピーライターの先人たちは言います。書き手の想いだけで突っ走って書いてしまうと読み手目線がスコンと抜けてしまい伝わりません。

「相手の目線になって往復のラリーを減らす」ためのいいトレーニング方法があります。それは、**「道を教える」**です。

たとえば、あなたのオフィスにはじめてやって来るお客さんがいるとします。最寄り駅からどのように来ればじぶんと会えるのか。それをメールで事前に伝えるというシチュエーションで、あなたはどんな説明文を書きますか。

はじめてその道を通る人の目線で書けているか?

具体的に書きすぎて複雑になっていないか?

エレベーターや受付の呼び出しの方法などまで気が利いているか?

いくつか気をつけたいポイントはありますが、もし、これまでは「○○駅の○番出口を出て徒歩7分です」と簡潔に書いていたのだとしたら、伝えるためのトレーニングだと思ってぜひ意識的に丁寧な道案内を書いてみてください。

約束の日、実際に会った瞬間に「あのメールの説明文がわかりやすくてまったく迷わず来られました！　ご丁寧にありがとうございました」と言ってもらえたらうれしいですよ。

## ――「わたし」を練り込み思ったことを言う

仕事のやりとりにおけるほとんどは、ことばを使うものです。

そして仕事においてよくあるケースが、「だれかとだれかのあいだにはいる仕事」です。たとえば、顧客と協力企業のあいだに立つこともありますし、上司と部下のあいだに立つことだってあるかと思います（どんな職業の人だって完全にひとりで仕事をしている人はいないと思います）。

そんな「あいだに立つ者」として最も大事なことだと思うのが、**「わたし」を練り込むこと**です。

わたし、というのはじぶんの考え、思ったことです。この「わたしを練り込む」だけで、関係している周囲の人たちとのコミュニケーションが円滑になります。なによりもいちばんの効果は、その仕事に対する「主体性」の割合が増えます。「だれかにやらされている仕事」ではなく「じぶんからやっている仕事」に変換されるようなイメージです。

はじめはだれかの下についている人も、だんだん任されて前に出てきて仕事を進めていくと、関係者たちの中心に立つことが増えます。

そんなときに、「右からきた情報を左にそのまま渡す」と、あんまりいいことがありません。

右からきてキャッチしたものをノールックで左にパスしてしまい、もしも左の人から「これってどういう意味ですか?」と訊かれて、じぶんも意味がわからないとしたら…。「ちょっとお待ちください…!」と断りを入れてから、もう一度右の人に確認をしなければなりません。「ちょっと待ってください」の時間が長かったり、それを繰り返したりしていると、ついには「この人、いないほうが早いんじゃないか?」と不信感を抱かれてしまいます。もちろんじぶん自身も「わたしがいる意味ってなに?」と投げやりな気持ちになってしまいます。

右の人からきた情報を、まずはじぶんが「左の人になったつもり」でよく読み込む（受け手の気持ちをイメージする、です)。じぶんで嚙み砕く。わからないことがあったら素直に右の人に尋ねる。肚落《はらお》ちしてじぶんでだれかに説明できる状態で、左の人にパスして説明をするときは、もうかつてのじぶんとはちがいます。なにか質問されたくらいじゃ、挫けません。「ああ、それはこういうことです」と伝えられるはずです。

そして大事なのが、「わたしはこう思います」を練り込むことです。右からきた情報をきちんと理解して左に流すだけではなく、「わたし」をプラスαするということです。右の人から流れてきた情報に対して、「わたしはどう思ったのか」「どんなことを考えたのか」。それをカレーに添えられた福神漬けのようにちょっと脇に盛られているだけで、受け取る人の姿勢も変わります。じぶんも、「やらされてるんやないで」という気持ちになり、その仕事に対する「所有感」のようなものがわいてきます。

なにかを見たり聞いたりして、どう思ったか。それは知識や経験がなくとも、どんな人にだって、かならずあるものだと思います。そこにキャリアは関係ありません。みんなおなじ人間ですから、「あなたならではの視点」として伝えることが大事です。

もちろん組織風土として、または業務内容によって、「あなたがどう思ったかなんて関係ない」という仕事も世の中にはたくさんあると思います。そういう仕事で社会が成り立っているのもまた事実ですし、いちいちそんなことを考えていたら持たないよ、という人もいらっしゃるかもしれません。

けれど、たとえ「伝える機会」がなくとも、「わたしはこう思った」とじぶんのこころの様子をのぞいて、知ることは大事だと思うのです。

企業や政治家の不祥事があったときの「謝罪会見」のようなものがありますが、そこで謝っている人が手元の紙を明らかに読み上げていたらどうでしょう。あんまり好感を持てないですよね。それは、「絶対にアンタのことばじゃないでしょ！」「そんなこと思ってないだろ！」という気持ちになるからではないでしょうか。

「すでに用意された文章を読み上げる」という予定調和がわるいわけではないと思います。結婚式のクライマックスでよく見る「花嫁から両親への手紙」のスピーチだって、「用意された文章」ですし、「ケンカばっかりでごめんね」「それでもいつも応援してくれていたよね」「ふたりのあいだに生まれてきてよかったよ」と、むしろ「使い古されたことば」が多いです。けれども、結婚式当日までのどこかで花嫁が静かにこれまでの人生を振り返ってみて生まれた、すべて「ほんとうの気持ち」が文章になっています。むずかしい単語を使っているとか、言い方がカッコいいとかではないのです。

**表現のテクニックよりも「わたしがほんとうに思っていること」**がいちばん強いし、伝わるのだと思います。

## ――向こう側から眺めることが大事

「ラリーの回数を減らす」ということは、「頭のなかで先（読み手）を想像する」ということだと書きました。

「こちらがこんなことを言うと（伝えると）、きっとこんな声が返ってくるだろうな」ということをイメージして、そのリアクションに先手を打って文章を書く、つまり「相手が思っている（思うであろう）ことを先にこちらが言う」ということ。

このような文章は「共感」を生み出します。「この文章を書いた人は、わたしのことを理解してくれている」と相手に感じさせるので、「ならば、この人のことも理解しよう」

と思ってもらえる効果もあります。

ここで、ぼくが２０１８年にサポートさせていただいた「釜石鵜住居復興スタジアム」の仕事を紹介します。

このスタジアムは、岩手県の釜石市という２０１１年の東日本大震災で大きな被害を受けた港町に２０１８年に竣工したスタジアムです。その翌年に開催されたラグビーワールドカップの試合会場として生まれました。

ラグビーワールドカップの開催都市というのは、たいていがその国の大きなまちであったり、７万人くらいを収容できるような大きなスタジアムがあったりすることが条件なのですが、津波の被害で学校や家屋がすべて流されてしまった東北の小さなまちにスタジアムを新たに建設してワールドカップを開催しようと考えた人たちが立ち上がりました。

ところが、まだ復興の真っ最中で仮設住宅で暮らしている地元民も多いなかで、わざわざ何十億円もお金をかけてスタジアムを建設するのはどうなのか、という「反対の声」も多くありました。

そんななかでも、ラグビーとゆかりのある釜石というまちにラグビーワールドカップを招致することに大きな意味があると関係者たちがプロジェクトを前に進め、全国開催都市のうちのひとつとして釜石市が決定、新スタジアムの建設もスタートしました。

そして2018年の8月19日にスタジアムは完成、スタジアムのシンボルマークづくりや建設までのストーリーをパッケージ化した書籍づくり、そして、そのこけら落としイベントのプロモーションを釜石市の方からご依頼いただきました。

スタジアムお披露目会とも言えるイベントの告知ポスターには、こんな文章を書きました。

**「ワールドカップどころじゃない」「今からスタジアムを建設するのか」**

**震災で大きな被害を受けた人口3万5000人のまちがラグビーワールドカップの開催地に立候補したとき、そんな声があちこちから聞こえてきた。その通りだと思った。**

**それでも。どうしても。このまちに、希望をつくりたかった。もとにもどすだけじゃない、新しい未来をつくりたかった。空と海に似合う緑いっぱいのシンボルをつくりたいと思った。**

**かつて釜石から夢をもらったという日本中の人たちが、釜石のチカラになりたいと背中を押してくれてこのスタジアムは完成する。**

**いつか、「このスタジアムをつくってくれてありがとう」とたくさんの人に言ってもらえるように。釜石はひとりじゃない。みんなといっしょなら、きっと、できる。**

**それでも、希望を建てるんだ。**

**キックオフ！　釜石8.19**

すこし長めの文章で恐縮ですが、一行目に持ってきたのはまさに「相手側から見た景色」です。受け手のみなさんの気持ちをこちらが書き、「おっしゃる通りです」と正直に認めました。ですが、「それでも」という強い気持ちがあったことも正直に書きました。このスタジアムが、ただの現在の浪費ではなく、未来への投資になる、そういう希望にしたいんだということを文章にして、「なぜスタジアムなんか建設するんだ？」という人たちに対してその理由や意味を伝えました。

結果的に、このメッセージは地元のみなさんに受け容れていただくことができ、「それでも、希望を建てるんだ。」というフレーズはあちこちのメディアや印刷物に使っていただけました。

被災地という命に関わるセンシティブなテーマだったからこそ、まずは現地の方や関係者の方にたくさんお話を聴かせていただき、多くの取材を通して「こちらの言いたいことではなく、相手(受け手)の言ってほしいことはなんだろう?」ということを考え、真摯かつ切実なメッセージを書こうと心がけたことを憶えています。


「ユーモアとは、緊張と緩和である」と聞いたことがありますが、笑いというものは共感からも生まれるものだと思います(緩和のひとつでしょうか)。

一緒に仕事をしている仲間に、いわゆるハゲている男性がいます。完全にツルツルです。彼は初対面の相手にはかならず「この部屋が明るいのはわたしの頭のせいじゃありませんからね」と言ってその場に笑いが起きます。相手が思っているかもしれないことを、こちらから先手を打つわけです。

人を笑わせるのには、かなりの技術とセンスが必要だと思いますが、「相手のいまの気持ちをイメージする」ことだけでも、ちょっと笑いをとることができるかもしれません。もちろん、なんでも笑いをとればいいわけではありませんが、緊張したギクシャクした関係から生まれるものよりも、おたがいが笑い合っている関係から生まれるもののほうが、いい気がしませんか。形式ばっておたがいが「こうでなければならないを演じている」よりも、こうしたウイットを交えたコミュニケーションがいい場の雰囲気をつくり出し、みんなの「その人らしさ」を引き出すのではないかと思います。

「相手の気持ちを想像する」ことは、とてもむずかしいことです。人間というものは他人のこころはおろか、じぶんのこころですらなかなか理解できないものだからです。さらに、どれだけその人の話を聴いたとしても、その人のなかにある根っこの部分まですべて言語化されているとは限りません。ですので、大事なのは**相手のこころを理解しようとする姿勢、気持ちを知ろうとする姿勢**だと思います。

以前、小便がしたくてとある商業施設にあるトイレに入ったときのこと。そこには男性用の立ち小便用のトイレが3つ並んでいました。ぼくは入り口からいちばん遠い奥のトイレに。すると、人が入ってきてぼくの隣、つまり真ん中のトイレに来ました。ひとつ空けて左端のトイレがあるのに「どうしてわざわざ隣に?」と訝《いぶか》しげに思っていたのですが、用を足しおえて彼の後ろを通り過ぎ左端のトイレをよく見て「！」となりました。そのトイレの床付近がものすごく汚れていたのです。「この人、ヘンだな」でおわらせずに、「相手の目線になってみる」こと。そのためには、観察すること、知ろうとすることが大事です。

どんな人だって、その人の行動や考えの背景を知ることができれば、受け容れて認められるようになるものです。**「嫌いな人」というのは、単純にその人のことを「知らない」だけ**かもしれません（よく「嫌いな人」は「じぶんに似ている人」と言いますが）。人間は、予測できないもの、知らないものに対して恐怖心や嫌悪感を抱くものだと思いますので。

## ——「ありがとうの会」

言いにくいけれども、思ってることをことばにするトレーニングの機会は、日常でもつくることができます。

我が家では「ありがとうの会」と呼んでいる、夜寝るまえにひとりずつほかの家族に対して**「今日あった出来事を振り返って『ありがとう』と伝えたいこと」を順番にスピーチしていくというシンプルな仕組み**をつくっています。

フォーマットが決められていて、「○○○（名前）、今日は、○○○○してくれてありがとう」という具合です。

シンプルに見えますが、いざやってみるとむずかしいのです。ときには、ケンカをしてしまって感謝を伝えるのにバツがわるい日や、あんまり一緒にいられなかった日で「ありがとう」を見つけるのがむずかしい日もあります。

それでも、「そういうルール」だからということで、なんとか「ありがとう」をひねり出します。

たとえば、ぼくから妻に、「○○○、今朝、幼稚園のお弁当をつくってくれて、夜も寝るまえに洗濯物をまわして干してくれてありがとう」。息子には、「○○○、今日、おとうさんがトイレで紙を持ってきてとおねがいしたら持ってきてくれてありがとう」。このような感じです。

あまりにも日常的で小さなことですが、一日を振り返って家族のみんなに助けてもらったこと、こころの支えになったことを見つけて言語化するトレーニングは、言われたほうもこころがふっと軽くなりますし、なぜか感謝を伝えた側もこころが満たされたような気分になります。それまでは、こどもを叱ってしまった日には寝ている息子に「ごめんね」と懺悔の気持ちを伝えていたのですが、この「ありがとうの会」の仕組みがあり「ありがとう」を本人に伝えられることで、不思議と普段からこどもがぼくの話をよく聴いてくれて、いつもニコニコするようになりました。反対に、忙しくて余裕がなく「ありがとうの会」ができずにいると、こどももイヤイヤ言ったり苛立ったりしているのです。

こどもはまさに親の鏡で、こちらがイライラしていたらそれが伝わっていて、たとえばちゃんと片付けしようとしていたのにすぐに「片付けなさい！」と叱られて余計に苛立ってしまっているのだと気づきました。こどもだっておなじ人間で、できないことがありますし、期待に応えられないとイライラしちゃいますよね。

ちょっと言いにくいことでも、仕組みとして、その日を振り返って、「ありがとう」を勇気を出してことばにして伝える。

とても簡単だけれど、とてもむずかしい。けれど、とても効果がある。ぜひ試しにやってみてください。はじめはむずがゆいのですが、1週間くらいですぐに慣れますから。なにより、どんな一日でも、「あぁ、いい日だったな」で終えることができます。

## ――「伝え上手」より「伝えられ上手」に

親子といえば、元Jリーガーで現在は小学生向けのコーチをされている方が、「練習や試合中、親御さんたちのこどもに対する『もっとここしろ、ああしろ』『なぜできないんだ!』などの発言が見過ごせないものが多いんです」と打ち明けてくれたことがありました。

親は親で「こどものために」とがんばっているでしょうから、頭ごなしに「こどもにアレコレ言うな!」と親を否定できません。コーチをこころから信頼できていないから、アレコレ外野から口を出しているのかもしれません(ペレがコーチで外からガヤ飛ばす人はいないでしょう)。いろいろな事情があって、親御さんたちはこどもにアレコレ言ってしまっているのだと思います。

そこでぼくが思ったのが、**「親は、どれだけこどものことを理解できているのだろうか?」**ということでした。親からはアレコレ「言う」立場になっているけれど、こどもがどんな想いでやっているのか、ほんとうはサッカーのことをどう思っているのか、こども自身はなにを目指しているのか、などを真剣に向き合って聴いてあげて、理解できているのだろうか、と。それらをきちんと親が知っているのならば、どれだけ外からこどもに向けて叫んでもいいのではないか、と。

ぼくの友人には現役のアスリートが多く、その人たちに試合の前日などにエールを伝えたくて連絡することがよくあります。

ただ、ここで「明日の試合、がんばってね！」と送るのもちょっとためらってしまいます。ぼくなんかに言われなくてもこれまで必死にトレーニングして、当日の試合のメンバーに選ばれて出場できる時点ですでに十分がんばってきていますし、わざわざ「がんばって」と言われなくてもがんばるに決まっています。そう書くと「そんなことだれも気にしないから、ふつうに『がんばって！』でいいじゃないか」という声が聞こえてきそうです。まったくその通りだと思います。ふつうはそんなこと気にしません。面倒くさいと思われるかもしれませんが、コピーライター、ことばを扱う仕事に従事する者として、こういった「あまり意図や考えのないことば」を自らの口や手から出すことに抵抗があるのです。「ほかのだれかもおんなじことを言ってるだろうな」ということも、なるべく言いたくない……など。

たとえば、夏になると**「夏だ！　〇〇〇だ！」**というフレーズをよく見聞きしませんか。お手製のチラシで**「そうだ、〇〇〇しよう」**って、よく見ませんか（おそらく「そうだ 京都、行こう」が元ネタ）。**「行くぜ、東北。」**（JR東日本）のような命令形＋熟語のフレーズもよく見ます。「〇〇って、〇〇」というのも、よく見かけます。おそらくですが、元祖は**「変われるって、ドキドキ」**（トヨタ カローラ）です。無意識に、こうした過去のすばらしい型を踏襲したフレーズが生まれてしまうものです。あるいは、「なんとなく」書いてしまうことばもあります。よくある例は**「つなぐ」**と**「超える」**という動詞です。気にしてみると、いかに世の中のスローガンやキャッチフレーズにこの「つなぐ」と「超える」という単語が使われているかわかります。便利なことばですが、もう一歩深く考えて具体的に表現できるはずです。

話を戻しまして、じゃあ試合を控えた友人に対してどんなことばをかけるのかと言いますと、「あしたの試合、たのしみにしてるね。**いまの気持ちはどう？」と「質問」します。**「たのしみだね！」と書くと、もしかすると向こうはたのしみというよりは緊張しているかもしれないので、あくまで「じぶん（こちら）はたのしみなんです」という表現にしておいて、そのあと試合を前日に控えた選手の気持ちを聴く。あまり深く考えずに答えられるような質問がいいと思います。それに対して、「緊張してる」と返事が来たら「そりゃそうだよね、いい結果になるといいね」と返したり、「たのしみ！」と来たら「そうか、それはいいね。たのしんで！」と返したりできます。

**「なんて声をかけたらいいのだろう」と迷ったら、いっそ「声をもらう」**。もちろん質問できない状況もあるかと思いますが、無理にでも声をかけるくらいならば沈黙していてもいいのではないかと思います。

人のまえに立って話すことの多い職業、たとえば教師の方だったり、講演会をされるような方なら実感があるかもしれませんが、「聴いている側の人が真剣」だと、話す側の人も、どんどんパフォーマンスが上がるものです。どんな球でも気持ちよく受け止めてくれるいいキャッチャーがいると、投手はいいピッチングができるようなものかもしれません（野球に詳しくないのですが）。「伝えるスキル」だけではなく、「伝えられるスキル」というものがあり、これが優秀な人は「伝えるスキル」も高いように感じます。

「どうやったら、じぶんの気持ちをうまくことばにして相手にうまく伝えられるでしょうか？」という相談をよく受けます。どういうふうに言えばいいいんだろう、なんて書けばいいんだろう、ということに悩まれているわけです。

ですが、まずは**「聴いたらいい」**のだと思います。伝えたい相手の話を聴く、ということです。

ちなみに「聴き上手」としてぼくが憧れている存在は、**「食堂のおばちゃん」**です。学生寮などにいる食堂のおばちゃんのイメージ。一日になんどか定期的に顔を合わせて学生の変化に気づき、「食欲ないね？」とか「どうしたの？」と声をかけて話を聴いてくれる利害関係のない存在。これを読んでいるみなさんにとって、「食堂のおばちゃん」的な存在はいるでしょうか。

## ──「聴くは効く」

「聴くは効く」と教えてくれたのは、勤めていた会社のコピーライターの先輩でした。

そのことばの背景は、求人広告という、就職や転職をしたい人たち向けの広告のメッセージをつくるときに、まず大事なのはその会社の代表や社員のみなさんに会社のことやその広告に対する想いをたくさん聴くことで、その企業にしか言えないオリジナルなメッセージや、「へぇ！」というおもしろいネタを拾えて、その素材がよければおのずと料理はおいしいものになる、というものでした。

新聞記者が、取材をしないと記事を書けないように、あたりまえのことなのですが、あんがい頭のなかのイメージで文章を書いてしまう人は多いものです。伝わる文章というのは、先に「目」や「耳」をたくさん働かせて得たものがあるからこそ、あとから「これを伝えたい！」という「手」が動くものです。

また、「聴くは効く」というのは、じぶんばかり先に伝えようとするのではなく、まずは相手の話を聴くことで、相手がよりじぶんの話を真剣に受け容れてくれる、という意味もあります。

ずいぶんまえのことですが、「結果にコミットする。」で有名なライザップの創業者である瀬戸健さんにお会いしてお話を伺ったことがあります。そこで彼から興味深いことを教えてもらいました。瀬戸さんは言います。

「日本全国のトレーナーのなかで、トップの成績を収めている優秀な人たちを分析したことがあったのですが、その人たちにはどんな特徴があったかと言うと、みんな『聞き上手』だったんです。**コミュニケーションが上手な人というと、しゃべるのが得意な人と思う人が多いと思うのですが、『きちんと相手の話を受け取れる人』**のほうが信頼を得て、指名が来ることがわかったんです」

このようなお話をしてくださって、なんとなく「そうだろうな」と感じていた主観が、データ分析という客観でも証明されていることにうれしくなりました。

たしかに、アパレルショップなどに入って接客を受けるときも、尋ねてもいないのに「この商品はですね…」とあれこれ話をしてくる店員さんよりも、「今日はなにかお求めのものがあってご来店くださったのですか?」とか「そのコート、いいですね。どこのものですか?」などと話しかけられたほうが、こちらとしても答えやすいですし、なによりその店員さんの言うことを聞きたくなるものです。それはそうと、「ショップ店員」と呼びますが、日本語にしたら「お店の店員」でしょうか。

なにもスラスラとしゃべるのがうまかったり、詩人のような美しいことばを書けたりすることが、「伝える」ということにおいて重要ではありません。**伝えたい相手の話をきちんと聴くこと。**それらは、「意識してがんばる」ことで、あしたからでもできることです。いきなり文章がうまくなるとか、いきなりカッコいいフレーズを生み出せないとしても、**「ちゃんと聴く」「ちゃんと調べる」「ちゃんと知る」**は、できる。それがきっと「伝わる」ことにもつながるはず。「聴くは効く」なのですから。

## 「聴く」はスキルである

そんなことを書いておきながら手のひらを返すようなのですが、実は、この「聴く」というのはとてもむずかしく、そう簡単にできるものじゃありません。

と言うのも、人の話を聴いているとき、ほかのことを思いついたり、じぶんの考えが頭に浮かんできたりしてしまうものですし、沈黙がこわくて（相手はなにかことばを振り絞ろうとしているのに）こちらが話してしまうことだってあります。

幼稚園児たちを見ていると、基本はその場にいるこどもたちみんなが声をあげてなにかを主張しています。あれが人間の本来の姿なのだと思います。大人になるにつれて、静かに座って「人の話を聴く」という社会性を身につけているのではないかと思います。

そこで、「話を聴く」ということにおいて、ワンポイントだけ押さえておくといい「スキル」があります。それは、**相手に対して敬意を払うこと**、です。リスペクトの気持ちがない相手の話は真剣に聴けないものです。逆に言えば、敬意を持つことが聴くことの第一歩と言えます。**「じぶんはこの人（話し手）のことが好き」という前提で（ゲームだと思って）話を聴く**のも効果的です。

では、こころに敬意を携えた上で、人の話を聴くときに押さえたほうがいいことはなにか。それは、**「経緯を聴く」**です。

人はみんなそれぞれの場所で生まれて、いろいろな経緯があって、そこにいます。オギャーと生まれてから、どこかの地で育ち、ここにやって来るまでは、笑いながら穏やかに歩んで来た者も、悲しい出来事にさっきまで泣いていた者も、走って来て肩で息をしている者もいるでしょう。

そういった「みんなちがう道を歩いて来た」のに、「みんながおなじ場所に集まっている」ということが、この世のあらゆる組織やチームに言えます。身近な最小チーム、「夫婦」なんかもそうです。

だからこそ、「おたがいに伝え合う」と「おたがいにわかり合う」が、大前提としてないとダメなのだと思います。

背景やプロセスを知るということは、相手を理解することにダイレクトにつながります。これは、わたしたちが歴史を学ぶ意味に近いものがあるかもしれません。

## ――「経緯は敬意」

経緯とは、敬意である。文字通り、経緯に耳を傾けるということは、相手への敬意を表す行為であるという意味です。

たとえば、部下や後輩から悩みの相談を受けたとして、その部下が、どんな不安や困っていることがあるのかを話してくれたとします。あなたは経験のある年長者ですから、より広い視点を持っていて、解決策だってすぐに思い浮かぶものです。そこで「じゃあ、こうしたらいいんじゃない？」と言うのをこらえて、「いつからそうなったの？」や「どうしてそう思ったの？」といった、その話の地点よりすこし遡った状況や気持ちを尋ねてみるのです。

経緯＝そこに至ったプロセスは、**「どうして？」「いつから？」**といった質問でどんどん引き出すことができます。さらに、「それは大変でしたね」と、共感のあいづちを打つことでも、相手の話をより引き出せます。話し手も、頭のなかをストレッチできる機会になるかもしれません。

「ピークエンドの法則」ということばを精神科医の先生から聞いたことがあるのですが、悩んでいて思い詰めている人というのは視野が狭くなっていたり、わるいことばかりに目がいくようになってしまっていたりするので、視野のストレッチを促す問いかけをするだけでも効果があるかもしれません。

そして、たくさん話を聴けたことで、よりその部下や後輩がなにに悩んでいるのか、どこにつまずいているのかを知ることができ、アドバイスの質も上がります。なにより、それだけ話を聴いてくれた人から発せられたことばというのは、しっかりと受け取ってもらえる（つまり、伝わる）ものだと思います。

あるドクターの方から、「ドラッグストアで買えるお薬と病院で処方されるお薬のちがいはなにか？」というお話を聴いたことがあります。

その先生が言うには、お薬そのものに大きな効果のちがいはなく、「どの薬を選ぶか」の処方箋のちがいが重要なのだと言います。病院に行くと、お医者さんが聴診器を胸に当てたり問診をしたりして、その人の症状に合ったお薬を選べる。一方でドラッグストアで買えるお薬は、「広くだれにでも効く総合的なお薬」なので、もし症状の原因がズレているとあまり効かないということでした。

コミュニケーションもおなじではないでしょうか。まずは伝えたい相手にまるで聴診器を当てるようにじっくり話を聴くことが、最も相手に効くお薬（ことば）を選ぶことにつながるということです。

突然ですが、ぼくは年中Tシャツでいることが多く、よく「寒くないんですか？」と訊かれます。そういうときに思うのは（思うだけです……！）、「駅伝を走っているノースリーブ、短パンの選手に『寒くないですか？』って言いませんよね」ということです。いま、目のまえにいる人が冬場にTシャツ姿だったとしても、もしかしたらその人は風呂上がりだったり、猛ダッシュしてここまで来ていたりしているから汗だくなのかもしれません。経緯を知れば、「ああ、だからTシャツなんだ」とわかりますよね。目のまえにいる人がどのような経緯があるのかを知ろうとすること。それは相手への敬意とも言えますし、それがわかるだけで、じぶんの中にある不安や恐怖のようなものが減らせるかもしれません。

人はみんなちがう（何度目でしょう、このフレーズ）。だからこそ、おたがいのことを理解し合うことが大事。そのためには敬意が必要。人の話を聴くということは、相手へのリスペクトの気持ちがないとできないもの。そのことを、常にこころにとどめておきたいものです。

## 思ったことを言うためには「ブレーキ」が必要

自転車のブレーキが壊れてしまったことがありました。

右手のほう、つまり前輪のブレーキハンドルをいくら全力で握っても、まったくタイヤが止まらなくなってしまい身の危険を感じたので、近所の馴染みの自転車屋のおじさんに修理の依頼をしました。

「これ、ブレーキのパットが擦り切れてなくなっちゃってるんで、前と後ろも交換しますね。すぐできますんで」

30分くらいで電話がかかってきて自転車を引き取りに行きました。帰りに退院した自転車に乗ってみると道をビュンビュン飛ばせるんです。

と、ここで思ったわけです。

「どうしてブレーキを直したのに、ビュンビュン飛ばせるようになったんだろう？」と。

逆に言えば、ブレーキが壊れているときは、ものすごく慎重にそろそろと走っていたわけです。

そうか、**「飛ばせるのは、止まれるからだ」**と気づきました。

「守破離」という伝統的な教えの通り、「守る」があるから「破れる」し、「離れられる」のは「守れる」があるからだ、と、自転車でビュンビュン飛ばしながら考えました。

ことばもおなじように、最低限の相手への敬意やルールを守るからこそ、思い切ったことを言えるし、それがマナーだと思います。ブレーキのない人が、ビュンビュン飛ばすのは、まわりの人はもちろん、結果的にじぶん自身をも危険な目にさらしてしまうものではないでしょうか。

## ——コピーライター初心者が陥りやすい罠

**「人になにかを知ってもらいたい」**

**「人になにか行動を起こしてもらいたい」**

コピーライターに限らず、日常やビジネスにおいてこのようなシーンがあると思います。たとえばチラシやポスターに置くようなひとことで伝わることば（キャッチコピーと呼ばれますね）を考えるような状況です。

このようなキャッチコピーを初心者が考えるときに、よく陥ってしまうパターンがあるので、ひとつ架空の例を挙げてご説明します。

**〈例〉**

**とある出版社が定価2万円の分厚い専門書を売りたい。**

さて、このようなお題に対して、コピーライターとして経験の浅い人が書くと、こんなコピーが出てくることがあります。

**「読まなくなったら漬物石にもなります」**

**「母がブックエンドとしても使っている」**

まず、このようなフレーズが出てきます。

一見すると「それは便利な本だな」と思うかもしれませんが、問うべきは「ほんと～？」です。重たくて値段の張る本をそんなふうに漬物石にする人なんていないと思いますし、ブックエンドはふつうにブックエンドを使うものです。これは「本の中身」の魅力を伝えることからすこしだけ視点をずらしたわけですが、「漬物石やブックエンドになるから買おう！」とはならないと思います。

## 「本で読む人が、本モノです」

これは、いわばダジャレです。ダジャレの売り文句を思いつく人も若手に多いのですが、これはかなりチャレンジングな行為です。ユーモアというのは、コミュニケーションの手段として受け手の警戒心を取り払う効果もあるので、うまく使えば有効なのですが、レトリックによって本来伝えたいことが薄れてしまったり、ことば遊びの印象が強くなってしまい、受け手に行動を促してもらいたいというシンプルな目的から逸れてしまうことが多いです。よっぽどうまく言えたらいいのですが。

## 「ここでしか読めない情報があります」

このようなコピーもありえますよね。ところが、ここでしか読めない情報だとしても、大きな書店に行けば立ち読みできるかもしれません。知人から借りることだってできるかもしれません。あくまでの今回のお題は「本を売る」です。つまり向こう側から見たら「その本を買う」です。「この本の説明」は言えているのですが、「じゃあ、それを買うかどうか?」というところまで促せているかどうかで言うとややよわいように思います。

## 「むしろ安いほうです」

このような切り口も、「たしかに高いけれどそれくらいお得な中身が詰まっている」ということを伝えていますが、「買う理由」にすこしだけ近づいていています。人はものを買うかどうか悩んでいるときに「買う理由」を探しているのです。ある意味、じぶんを正当化していると言いますか。そのような人間の心理を突いて、「ほんとうだったらこれだけの内容が詰まっていたら10万円くらいしてもおかしくないんですよ」と言われると、おなじ2万円の見え方が変わってきます。

**「がんばっている部下に贈りませんか」**

このコピーだとおなじように「買う理由」が練り込まれていますが、さらに「提案」の要素があります。専門の業界で働いている人が部下にご褒美として買ってあげるのにちょうどいい本ですよ、と。

**「会社の経費で買うのはいかがでしょう」**

提案するという方向性で、こんな展開もできるかもしれません。

**「フリマアプリでは買えません」**

架空のお題なので事実かどうかは置いておくという前提のコピーなのですが、フリマアプリで買えないということは「出品されていない」ということで、それは買った人の満足度が高いとも言えますし希少性があるとも言えます。反対にそれくらいだれも買っていない、という可能性もあるのですが…。

ここで整理してみます。

こちらの想いや考えを相手に伝えて、共感や行動を促したいコピーライターの初心者たちが陥ってしまう罠は、平たく言ってしまうと**「ひねりすぎてしまう」**ということです。もともとなにを伝えたいのか、なぜそれを伝えたいのか、というシンプルで強い動機や想いをまずはまっすぐに書いてみることが大事なのに、「表現の仕方」に走っていってしまうことがよくあります。

なんて喩えるのがいいのでしょうか、たとえば、恋人を目のまえにしてあふれ出てくる

「好き」のほうが、「キミはあの静謐な月よりも凛《りん》として美しいよ、愛してる」よりも「好き」という気持ちが伝わるように思いませんか。「ひねらずに伝えたいことをそのまんま言えばいいのです」だなんて、そんなことコピーライターがわざわざ本に書くんじゃないよ！　と思われた方、すみません。ですが、ほんとうに、そう思うのです。

人の記憶に残るようなことばにしたり、思わず口にしたくなるような世の中に広く流通させたりするためのことばのテクニックは、たしかにコピーライターのプロならばみんな知っていると思うのですが、「ひねらないこと」が大事で、ついでのように言ってしまうと「ひねらないでも強く深く伝わる事実を見つけること」のほうが大事だと思います。その商品やサービスが生まれた背景、その企業が社会に存在している理由など、それを見つけるために実際に商品やサービスを使ってみたり、社長や開発した人に丁寧にヒアリングしたりすることでその「事実」と出合えるものです。

そして、じぶん自身が「それってすごい！」「へえ！」と思った事実を、そのままますぐに書けばいいのです。

あんまりいいコピーが生まれてこないときというのは、たいていが机の上でパソコンを開いてウンウン考えているときです。まずはじぶんの手足を使って五感を動かして、喜怒哀楽をみずから生み出すことが大事だと思います。

すこしまえのAppleのiPhoneの広告のコピーに、**「iPhoneで撮影」**というものがありました。美しくダイナミックな写真がポスターいっぱいに大きくレイアウトされ、その下に小さく、このコピーが置かれていた広告です。まさしく、ことば自体は非常にシンプルですが、商品の持つ素晴らしい機能性があれば、ことばはシンプルでもいいということがよくわかります。

そのように考えてみると、先ほどの「とある出版社が定価2万円の分厚い専門書を売りたい」という例は、実は「ただのことば遊び」だったということになります。なぜなら、「実際にどんな本なのかわからないのにコピーを書いているから」です。本来であればその本を、お財布から自腹で2万円を払って買ってみて読んでみて、はじめて「この本って、こういううれしさがあるよ」と人に伝えられるものだということです。

「事件は会議室で起きてるんじゃない、現場で起きているんだ」という映画の名台詞がありましたが（『踊る大捜査線 THE MOVIE』）、まさにこの姿勢です。まずは現場で五感をフルに使ってみて、それから会議室で考える（書く）のが大事だと思います。

〈いわゆるキャッチコピーをつくる上で心がけておきたいこと〉

**①お題を正面から捉えること**

今回のケースだと、「本を買いたくなる」コピーを考えるというのがお題でした。ついつい、その売りたい対象がどんなものであるのかという説明や描写を書いてしまいがちなのですが、極端な話、まずは「どうか買ってください」というコピーくらいの姿勢で書くことが大事です。

**②目的を視界から外さないこと**

コピーを書いていると、ついつい表現に走ってしまって、「あれ？　なんで書いてるんだっけ?」ということが頭から抜けてしまうことがよくあると、なんどか書きました。「わたしは、なにを伝えたいんだっけ?」「なにをやりたくて、ことばを書いているんだっけな?」と常に自問自答することが大事です。お題に応える。あたりまえですが、忘れてしまいがちです。

**③じぶんというN=1をリサーチすること**

しつこいようですが、「わたしはどうか?」という主観を徹底的に洗い出してみることが大事です。「世の中の人たちはみんなこうだろう」と決めつけてしまうのはちょっとだけ危険です。それがほんとうかどうかわからないからです。まずは正直にアンケートに答えてくれるじぶん自身にインタビューするのです。

**④こちらの都合ばかり言わないこと**

**「口の上手すぎる人から家を買うのはなんだかこわい。」**という住宅メーカーの広告コピーが1999年にありましたが、パンフレットに書いてあるような「自社の特長」をまくし立てるように話したり、「こちらに都合のいいこと」ばかり言ったりする人の話は、なかなか信用しにくいものです。書き手になると、つい前のめりに宣伝文句を言ってしまいがちになるので気をつけましょう。

**⑤嘘を言わないこと**

そんなのあたりまえでしょう、と思われるかもしれませんが、実際にコピーをたくさん書いてみると、いつのまにか「こうだったらいいな」という願望や、「こんなのおもしろいな」という欲望なのか、つい嘘を書いてしまうものです。じぶんの書いた文章やコピーを読み返してみて「これ、ほんとうかな?」とツッコミを入れましょう。

そして、**いい問いがいい答えを生みます**。問いが的外れだと、出てくる答えもすべて的外れになってしまいます。前述の例に挙げた「定価2万円の専門書を売るためのコピー」で考えてみると、たとえばこんな自問自答をしてみます。

**〈主観〉**

普段、じぶんは2万円の本をどんな時に買いたいと思うのか？
じぶんがこの本を親友にすすめるならなんて言うだろう？
紙の本って人類にとってどんな存在だろう？

**〈客観〉**

世の中の人が2万円を払っているものってなんだろう？
人がレンタルするものと買うもの、ちがいってなんだろう？
この本を買う人のうれしさってなんだろう？

このように、主観と客観でそれぞれ思考をめぐらせてメモします。2つを行き来して、砂場で大きな山をつくってトンネルを開通させる遊びがありますが、あのようなイメージです。じぶんから出発した考えを掘ってみて、それから向こう側からも掘ってみておたがいの手と手がつながるイメージです。

第 5 章

# 主観の伝え方〈技術編〉

## ——こんなふうに書いてみよう

コミュニケーションに「わたしを練り込む」だけで、関係している周囲の人たちとのコミュニケーションが円滑になったり、「だれかにやらされている仕事」ではなく「じぶんからやっている仕事」になったりする、と書きました。

「でも、いきなりそんな『わたし』を出すなんて恥ずかしい…」

「そうは言っても、わたしの仕事に『わたしの意見』なんて不要なんです！」

もちろん、そういう方もいらっしゃるかと思います。それでも、すこしずつ「わたし」を練り込むトライをしてみてはいかがでしょうか。洋服屋さんで気になった服を試着室で「ちょっと着てみる」という気分でトライしてみませんか。小さなトライをしてみて、うまくいったらまたすこし大きなトライをしてみて、ときに怒られたら謝ってすこし元に戻して…ことばを生み出すのは原価のかからないことですから、「まずはトライ！」です。

また、言語化する上での、ベーススキルとして、以下の3つがあると考えます。

**①知識力**

語彙、過去事例の幅広い知識、言語化や表現に関する専門的知識を活かせる力

**②受手《うけて》力**

送り手側と受け手側のあいだに立ち伝えたいことが伝わるかどうか想像できる力

**③本質力**

人間の普遍性に根差していて具体から抽象を導き出せる力

これがなくてはならない、というわけではありませんが、優秀なコピーライターの人たちはこの3つの力を備えているように思います。ですが、残念ながらこれらは一朝一夕で身につけられるものではありません。3つのベースを鍛えるための日々の「姿勢」を意識しつつ、すぐに実践できるテクニックをご紹介します。

では、「思っていることを伝える」15のトライ、スタートです。

## 1――人称代名詞をいつも通りにしてみる

普段「話す」ときに使っている人称代名詞をそのまま使って、文章を書いてみましょう。日本語は表現力が豊かでありややこしくもありますが、一人称代名詞ひとつとっても表現の仕方がたくさんあります。英語では「I」ひとつなのに、「わたし」「ぼく」「おれ」「じぶん」「あたい」「うち」「わい」や、たまにビジネスの場面では「小生」「当方」、「小職」なんていう単語にお目にかかることも。とくに、なぜかビジネスのシーンになるといつもとちがう呼び方でじぶんや相手を呼ぶことがあります。

この「人称代名詞」というのは、そのあとにつづくことばを規定してしまうところがあります。たとえば、「てめえ…」ときたら、そのあとに「こちらへお越しください」とはなりませんよね。人称代名詞をどんなふうに表現するかということは、ことばの全体のトーンに影響するものです。

いつもその人のまえではじぶんのことを「ぼく」と言っているのならば、できるだけ文章でも「ぼく」と書いてみる。普段は「田中さん」と呼んでいる間柄ならば、メールに思い切って「田中さま」と書かずに「田中さん」と書いてみる。

天皇陛下と会話させていただくシーンや（そんな機会はあまりないと思いますが）、結婚式のご挨拶の手紙などで「おれ」とか「あたい」とか言うのはもちろんNGです。形式が大事なかしこまったシーンでは、もちろんことばにもスーツを着せて適切な人称を使ってください。

## 2　型を無視してみる

はじめてメールで連絡をするのに、「いつも大変お世話になっております」と書く人がいます。もしかすると「デフォルト」としてメールの入力画面に自動的に入っているのかもしれません。もちろん相手への敬意として形式を大事にしているだとか、とにかく無難な型を置いておけば「いやいや、お世話したことないですよ！」と返事が来ないという暗黙の了解があるから別にいいじゃないか、というご意見もあるかと思います。

それでも、すこし気になるのが、**「ことばに敬意はあるか？」**ということです。ことばを使って、じぶんの考えや想いを伝えることができたり人を動かしたりすることができるわけですから、はじめて連絡する相手に「いつも大変お世話になっております」と書くのは、極端な話「嘘」ですし、ことばに対して失礼じゃないかと思うのです。消化試合に出場させられている野球のピッチャーのよう、と言いますか…。汚いことばを使うこともそうですが、日頃からことばを大切に扱っていない人が、都合のいいときだけ「ことばよ、頼む！」とマウンドに登板させても、ことばは乗り気じゃないはずです。

資料をつくるときにパワーポイントのようなソフトを使うことがあるかと思います。その中身のつくり方も、「こんな構成で、こんなフォントで、こんな見出しを置いて、こんな図形とデータを入れて…」といったような無意識のうちの「正解」があるのではないでしょうか。それは先人たちがつくった基本の型とも言えますから、業務を効率化させる上でもありがたく活用すべきものです。

一方で、この「型」という敷かれたレールに乗っかることや、その空欄を埋めていくことに頭がいってしまって、思考停止してしまうことがあります。「なんとなくそれっぽい資料」が完成したことに満足してしまい、その実際の中身はあんがいありきたりなことを言っていてスカスカだったり、「じぶんの考え」が書かれていなかったり。

ですから、「パワーポイントをやめる」にもトライしてみる。A4の紙に、メールを相手に送るように文章だけでじぶんの考えたことを書けばいいのです。データという客観を載せた図形やグラフがどうしても必要ならば載せればいいですが、それも「7割の人が……」とか「売上推移は……」と文章にできるはずです。

つくった資料を人に話して伝えるときも同様です。資料を見せられながら、文字をそのまま声に出して読み上げられても、国語の音読の授業じゃないので聞いているほうは退屈です。資料なんかなくても、話をすることはできます。相手の目と耳をこちらに集中してもらうほうが大事だと思います。「ちゃんと資料をつくってないのか」と思われるのがこわいかもしれませんが、大事なのは「資料」そのものではなくその「中身」、つまりアイディアや考えです。その資料が上や横にどんどん回っていく回覧板のような役割があるのならば、話の内容を簡単にまとめたものをつくって、あとで送ればいいのです。

# 3――世間話を入れてみる

ことばに「わたし」を練り込むためには、場の空気感やおたがいの関係性のムードのようなものが大切です。「わたし」が咲きやすい土壌をつくっておかなければなりません。
たとえば、会議や打ち合わせの場で、時刻通りにスタートしていきなり本題に入るのではなく、「きのうの晩ごはんは？」などと質問してひとりずつ答えていく。ビジネスパーソンのあいだでは「アイスブレイク」なんて言いますが、要するに「世間話」です。無駄とも思えるこの数分間はとても大切だと思います。全員がまず口をひらいて話す機会をつくることができますし、そこからその人の固有性のある話を聴くことができます。むずかしいですが、そこに「ユーモア」があると最強です。その場のみんなが「アハハ」となるような。

対面の話しことばだけではなく、メールやメッセージなどでも、「実はきのう、飼ってる猫が脱走しちゃって…」といったような私的な世間話を一行だけ忍ばせておくだけで、そのあとの文章に「わたし」を入れやすくなります。

## 4――笑いながら言ってみる

「もらい泣き」ということばがありますが、人間には生まれ持って「他者に共感する」という本能が備わっているのかもしれません（余談ですが、あくびをしている人を見るとじぶんもしたくなるのも共感本能のひとつと聞いたことがあります）。

おなじように、人がただ爆笑しているだけの映像を見てみてください。なぜかじぶんも笑ってしまうのです。お笑いの世界では、これを「誘い笑い」なんて言うこともあります。話している人が笑っていると、なぜかこちらも笑ってしまう、という。

ユーモアというのは人のこころのドアをひらく最強の武器です。自宅で家族同士がケンカしているシーンで、飼っている犬が奇跡的に「ニャー」と鳴いたら、「ふふっ」と目を合わせてケンカがおわるような気がしませんか。

「わたしを練り込む」ときに、ちょっと笑いながら（照れながら）話してみてください。「実はわたし、A案じゃなくて、B案がいいと思っちゃってるんですよね…あはは」といった具合に。怒っていそうな人、不機嫌そうな人の話は受け容れにくいものですが、愛嬌があれば受け容れてもらいやすくなるのではないでしょうか。

文章だったら、「（笑）」を使うというのもテクニックです。「部長、ちょっと汗臭いです」だと悪意を感じますが、「部長、ちょっと汗臭いです（笑）」なら（関係性にもよりますが）なんだか許せてしまう感じがしませんか。

あまり使いすぎてしまうと、「この人、なんでこんなに笑ってるんだろう？」と不思議がられてしまうので、ひとつの文面に最大ひとつまで、としておきましょう。

## 5 ―― 否定形にしてみる

これは「文章全体」というよりもキャッチコピーや見出し、一行で勝負するようなケースに言える技術なのですが、否定の表現の要素を入れると受け手の記憶や心情にちょっとした爪痕を残しやすくなります。
まっすぐに言ってしまうとことばがツルツルとしていて、受け手を通り過ぎてしまう伝えたいことも、ザラザラを加えることで頭にのこる表現になります。
日常生活において、人や物事に対して否定的であるということはあまりいいことではないと思っているのですが、ことばの表現技術において言えば、否定を効果的に使うことでよりポジティブな印象を与えることができます。

たとえば、こんな有名なキャッチコピーがありますよね。

**「NO MUSIC, NO LIFE」**（タワーレコード）

これを考えたコピーライターの方が、元ネタは「NO PAIN,NO GAIN」という昔からあるフレーズだったとどこかで読んだ記憶があるのですが、それはさておき、もしこのキャッチコピーが**「LIFE IS MUSIC」**だったら、どうでしょう。ことばとしてのカッコよさは半減しているように感じますよね。二重否定というレトリックを活かすだけでカッコよくなるのです。

**「楽しくなければテレビじゃない！」**（フジテレビ）というテレビ局のスローガンもありましたが、これも言っていること自体は「テレビはたのしいものだ！」ですが、二重否定のおかげでスローガンとしての威厳を身に纏っています。

**「仕事を聞かれて、会社名で答えるような奴には、負けない。」**（『ガテン』）

すこし話が逸れてしまいますが、このコピーは、ぼくの社会人のスタートを支えてくれたコピーです。大学を卒業するとき、まわりの友人たちはだれもがその名を知る大企業に就職するなか、じぶんだけだれも知らない名前の会社に就職したので、20代の頃、この一行になんども救われました。

このコピーは『ガテン』という現場職人系の仕事を主に扱う求人誌の広告コピーでした。この世のすべてのブルーカラーと呼ばれる職種の人たちの背中を押すようなコピーでありながら、会社名ではなくじぶんの腕ひとつで勝負していくんだという気持ちを胸に働くすべての人を応援するようなフレーズです。

もしこのコピーが「仕事を聞かれて会社名で答える奴に勝つ」だったら。なんだか物足りなさを感じませんか。東日本大震災のあとにHONDAが打ち出した**「負けるもんか。」**というコピーも好きなのですが、「勝つ」よりも「負けない」のほうが、逆境に立ち向かっていく下剋上のような意志を感じます。ジャイアントキリングのストーリーがみんな好きだから、「負けないぜ」のほうが共感を生みやすいのかもしれません。**「近道なんか、なかったぜ。」**（サントリー　オールド）というコピーライター業界では知らない人はいない有名なコピーもあります。こちらも「なかった」という否定形がもちろん効いていますが、この「なんか」と「ぜ」の4文字がプロの技です。「なんか」で否定をより強くして、「ぜ」で話者の顔や気持ちを想像させていますよね。

このように過去のすばらしいコピーを見てみると、否定を混ぜた一行の表現というのは効果的であると改めて思います。

## 6 ―― レッツにしてみる

レッツとは「Let's」のことで、「〜しよう」という表現です。「スローガン」というと、このレッツの型は馴染みがあるのではないでしょうか。小学校の壁に貼られているポスターなどにはこのレッツのフレーズが多いかもしれません。「みんなでなかよく遊びましょう」など、です。レッツは、たくさんの矢印をひとつに束ねていくようなことばの形をしています。

このようにだれもがよく使うこの「レッツ」の言い方だからこそ、使うにあたっては（とくにプロが仕事として成果を出すために使う場合では）よくよく考えないといけません。

**「恋をしましょう」**（BEAMS）

東日本大震災のあと「絆」ということばが世の中にあふれていました。どうしたらいいのか先の見えない情勢のなかで、「絆を大事にしましょう」ではなく「恋をしましょう」というメッセージをBEAMSが街中にとどけていました。恋をするというのは人間がもともと持つ本能のひとつであり、これまで見ていた景色や日常が明るくなることです。最も身近な「ひとりとひとりの絆」である「恋をする」ということを若者たちに提案したすばらしい切り口であると、この広告を見た当時に思いました。

**「考えよう。答はある。」**（旭化成　へーベルハウス）

こちらは、都内の戸建てをつくりあげるハウスメーカーならではの制約や条件があるなかでも技術と知恵でそれを解決していくんだという誠実な佇まいを感じさせるコピーです。しかもこのコピーはいわゆる広告として不特定多数の社会に対して「広く告げる」ようなことばではなく、どちらかと言えばこの会社で働く社員たちに向けて書かれた（つまりじぶん自身に言い聞かせる）ようなことばです。壁にぶつかっている人たちに「答えはきっとある」と背中を押してくれることばで、ぼくもいいアイディアにたどり着けないときによく思い出しています。

**「生きろ。」**（『もののけ姫』）

**「JUST DO IT.」**（NIKE）

これらの広告キャッチコピーも、「レッツ」（○○しよう）というよりは命令形（○○しろ」といったニュアンスの強いことばかもしれませんが、強い意志を感じることばです。命令形の言い方はややもすると相手への脅迫や強制のようになってしまいますが、このように迷っている人の背中を押すようなことばにもなります。

この2つの名作から学べることは、あまり具体的に言いすぎないこと、ではないかと思います。自社の宣伝要素を排除してシンプルなことばだけを使い、いつどこでだれにとっても言えるような普遍性のあるメッセージにするということです。

# 7——肯定してみる

人間というものは生存本能として他人の「よわみ」に自然と目が行くようにできているのだと聞いたことがあります。相手のいいところよりも、わるいところについつい目が行ってしまう、という。世の中は「褒められたらうれしい」という人は多いのに、「今日、わたしは人のことを褒めた」という人は少ない。つまり、「褒める」の需給バランスが崩れている。反対に、「いいところ」に目を向けられる人は希少と言えます。

たとえば、**「部下にいくら細かく指示をしてもその通りに動いてくれない」**と悩んでいる人がいるとします。その人に「上司に放置されて、指示をもらえずにどうすればいいのか困ってしまっている人もいるなかで、きちんと丁寧に指示をしてあげているなんてすばらしいですね。なかなかできないことだと思います。だからこそ、部下に『どうしたらもっと行動しやすくなるか教えてくれないかな?』『なにか動きにくい理由ってある?』と尋ねて話を聴いてあげたらもっとよくなるんじゃないでしょうか」とアドバイスをしてみる。はじめに相手のいいところをきちんと認めることで、そのあとのほんとうに伝えたいアドバイスを聞き入れてもらいやすくなると思います。「こんなにいいのに、もったいないよ」と言われたら、素直にがんばろうと思えるものですから。

日本では小さな頃から「人に迷惑をかけてはいけません」と教わるけれども、インドでは「あなたは人に迷惑をかけて生きているのだから他人のことも許しなさい」という教えがあると言います。日本でも「おたがいさま」ということばがありますね。じぶんの思ったことを相手に受け容れてもらおうと思うならば、まずは相手の言うことを肯定してみることで「おたがいさま」になれる可能性が上がると思います。もちろん、「どうしてもムリ！」という人もいるかと思うのですべてを受け容れる必要はありません。けれども、光があるから陰があるように、どんな人にもいいところとわるいところが表裏一体であるものですから、その人のいいところを意識的に探して「いいですね」と言えるようになれたら、おたがいにとっていいのではないかと思います。

# 8――語尾に記号を使ってみる

実際に相手を目のまえにして会話をするシチュエーションならば、相手の表情や声のトーン、身振り手振りも含めた多くの情報を交換し合うのでコンテキストを読み合うことができます。一方で、文章でのやりとりになると、相手がいまどんな状況や気持ちでそのメッセージを読んでいるのか、反対にこちらのテキストからどんな印象を受け取っているのか文字だけでは理解しづらいところがありますよね。

そこで実用的なテクニックとして、語尾に記号をうまく使う、という手があります。絵文字というワザもありますが、ビジネスのシーンではさすがに使うのに抵抗がありますよね。そこで絵文字とまではいかないまでも、ふつうの句読点だけではない記号を使うことで、そのメールやメッセージひとつにこちらの雰囲気を伝えたり、こちらの思っていることを相手にさりげなく伝えたりすることができるかもしれません。

まずは、「!」です。

**「よろしくお願いいたします。」**
**「よろしくお願いいたします!」**

この2つの文章、内容はおなじですが、ずいぶん話者の印象が変わりますよね。後者は野球部の先輩に向かって脱帽しながら挨拶しているようなトーン。うまく使えば、すこしへりくだっているように見えるので相手への威圧感をなくす効果があります。

ただ、「!」という記号は注意を喚起する、いわばクルマのクラクションのような役割もあります。使う場合はひとつのメッセージにひとつ、多くても2つまでがいいと思います。とくに強調したいメッセージのあとにだけ、または冒頭か最後の挨拶の文章のあとにだけ添える、くらいがいいかもしれません。

ひとつ注意点したいのが、いわゆる立場が上の人が「!」を使用すると受け手にとってはプレッシャーに見えてしまうかもしれません。会社の上司であるとか、町内会のトップの方であるとか…ちょっと具体的に「こういうケースは要注意！」と言えないのですが、イメージとしては仕事の取引先や近所の知人くらいの距離感だったらあまり気にせず「！」を使ってもマイナスにはならないと思います。

あとは「（　）」です。

補足としてあとに添えてこころの声を表現するときに使うカッコです。

**「弊社として今週中に検討いたします（個人的には好きです）」**

このように、カッコに入れてしまえば言いたかった本音をさりげなく伝えられます。たまに、文章全体の半分くらいにカッコが付いている人を見かけますが、それだと「この人、主張強めだな…」と逆効果になってしまうので気をつけたいところです。

以上、文章のあとの記号をうまく使うことで、伝えたいことをうまく伝えるための土壌づくりができるかもしれない、というテクニックでした。いずれもわざわざ書くほどの新しいものでないかもしれませんが、ぜひトライしてみてください。

オマケのように書きますと、ぼくが20代後半の頃に高校生を相手にラグビーを指導していたとき、10代の彼らとのやりとりで送られてくる文章のほとんどが「了解です」「今着きます」と句点がなくておどろいたことを憶えています。テキストのメッセージにおいて語尾に読点「。」すらもつけないとやや不躾《ぶしつけ》な印象を与えるので、適切に句読点は使ったほうがいいと思います。

あと、すべてにおいて言えるのは「文章において記号を使い過ぎる」のは気をつけてください!!!（なんでも「過ぎる」といいことはありませんから）

# 9 ―― 向き合わずおなじほうを見てみる

## 「same picture」

これは、ラグビーでよく使われていることばで、日本語で言えば「おなじ絵」ですね。

ラグビーというスポーツは1チーム15人もいて、常に変わる目のまえの状況のなかで、臨機応変にそれぞれがじぶんの役割をひとつのフィールドで果たしていくのですが、「このシチュエーションでは、こういうプレーをしよう、こういうことを気をつけよう」という「おなじ絵」を15人全員が頭に描いていることが大事です。

ニュージーランドのラグビー代表選手たちは「オールブラックス」という愛称で親しまれ、１００年以上続く歴史のなかでの勝率は8～9割という名実ともに超最強集団です。彼らはプレー中のみならず、組織全体にも理念としての「same picture」があり、それは「このジャージをよりよいものにしてつぎの世代に受け継ぐこと」です。いわば使命とも言えます。選手たちみんなの頭にはそれがあるので、おたがいはライバル同士にもかかわらず、練習中や合宿所で積極的におたがいのスキルや知識を交換し合っているそうです。ライバルなのに、どうして…？　それは、「個人」が活躍して評価されることのみならず「チーム」が強くなることがオールブラックスの使命だからです。

コミュニケーションにおいても、おたがいが向き合って対立してしまうようなケースではうまくいきません。そんなとき心がけたいのが、「向き合わない、おなじほうを見る」です。

たとえば、意見が対立してしまいそうなとき、むずかしいシーンほど、おたがいに「こうするのはどうでしょう?」とひとりひとりの2つの意見から3つめの「未来」をつくるのです。ジャンケンでも、グーとパーだけしか出せないとみんなパーを出しますが、チョキがあることで遊びとしてたのしくなります。向き合うふたりの先にもうひとりの「未来くん」を仲間に入れて、三者で前に進んでいくとうまくいく、です。

## 10 ―― 相手の言いたいことを言ってみる

たとえば、選挙の立候補者が駅前で演説しているシーンでこんな2つのパターンのセリフを言ったとします。

A **「わたくし、国民のみなさまの気持ちに寄り添います!」**
B **「税金が高い! 政治家がもっと立ち上がるべきです!」**

さて、どちらのほうが印象がいいでしょうか。Bは、Aの「国民のみなさまの気持ち」を具体的に言ったものです。Bを言うことで、Aで伝えたいことが言えています。

コピーライターもおなじように、なるべくBのように「受け手の人の気持ちをこちらが先に言う」というテクニックを使うことがあります。なぜなら、おなじ一行しか使えないのならば、Bのようなアプローチをしたほうが効率がいいからです。

相手の思っていることを先に言うと、「わたしの思っていることをわかってくれている」と感じさせるもので、そうすると、「その人の話なら聞こうかな」となります。気持ちの代弁は、わかりやすい共感を生み出すひとつの方法です。

ちなみに、ぼくが妻とのコミュニケーションにおいて気をつけていることがあります。「疲れた〜」とか「大変だった」というセリフを聞いたら、**「おつかれさま！　ありがとう」「そっか、それは大変だったね」**と言うようにしています。決して、「え、どうして？」「大変だったのなら言ってよ〜手伝ったのに！」と言わないようにしています。とにかく察して、共感して、「たぶん、こういうことを言ってほしいのかな…」と考えながら感謝か労いを言うようにしています。

正直、「こんなことを言うの、ぐぬぬ…」と内心ではぎこちないときもありますし、わざわざ妻に対してそこまでやらなくてもと思われる方もいらっしゃるかもしれません。ですが、形だけでも効果大です。どんな効果があるのか？　妻の機嫌がわるくなりません。妻の機嫌がいいとどうなるか？　ぼくも、余計な心配をせずに仕事に集中できて、こどもにも影響を及ぼしません。なにより、ぼくが思ったこと、言いたいことを言いやすい関係性をつくることができるのです。

# 11 ――ことばに緩衝材をつけてみる

5歳だった息子と一緒に家の近くのコーヒー豆屋さんに行った帰り、突然息子が「あのお店の人、いい人そうだったね」と言いました。驚いて「どうして？」と尋ねると、**「ことばの最後に『ね』が付いていたから」**と言ったのです。おもしろいなぁと思ったのですが、実際に、対面でのコミュニケーションとちがってテキストでのやりとりは表情や仕草が見えないので、相手にやわらかい印象を与えるための工夫の成分を多めに入れておくくらいがいいのかもしれません。

そんなときに非常に便利なのが「ね」です。

## 「ぜひ立ち寄ってください」
## 「ぜひ立ち寄ってくださいね」

たった一文字ですが、印象が変わりますよね（そうです、これもです）。

普段、「ね」なんて使うことなんてないよ、なんていう方も、文字でのコミュニケーションでは思い切って使ってみてください。とくに上の立場の人が部下や後輩などに使うとより効果的です。相手を萎縮させるために威厳が必要ならば、あえて「ね」なんて使う必要はないですが、チームや組織の人間関係には信頼関係が最も大事だと思います。おなじ「バカ」でも、信頼している人からの「バカ」と恐怖で管理してくる人からの「バカ」ではおなじことばなのに受け取る人の感じ方はまったく異なります。本音で話し合えるような、それこそ「バカだなぁ」と言っても笑い合えるような関係性を築くことが結果的にマネジメントはラクになると思うんです。

「たしかにね」

「ほかにいいアイディアないかな？」

「〇〇だと思っているんだよね」

このようにいつものメッセージに「ね」を最後にプラスするだけで、ことばに緩衝材が備わります。テキストコミュニケーションにおいて、たった一文字にしては絶大な効果があるので、ぜひ使ってみてくださいね。

# 12 ――湯呑みでなくマグカップを渡してみる

湯呑みとマグカップのちがいは、なんでしょうか。

そうです、「取っ手があるかどうか」です。

リレーのバトンってありますよね。運動会とかで登場するカラフルな筒です。もしあのバトンがひとり分しか握れないくらいの長さ、そうですね、10㎝くらいのトイレットペーパーの芯みたいなバトンだったら、つぎの人に渡すときに困りますよね。それは、受け手がキャッチする「余白」がないからです。

ことばもおなじように、受け取る側に「余白」があったほうが、相手が「じぶんのために渡そうとしてくれている」と思ってもらえます。ことばに「取っ手」があるほうが、相手にきちんと受け取ってもらえる確率が上がります。さらにそれは、こちらの伝えたい想いが熱ければ熱いほど、その想いをコップという乗り物（メディア）に入れて相手に渡すときには「取っ手」を意識したほうがいいと思います。

もうすこしわかりやすいように例を挙げてみます。

「集合は12時に○○駅改札でお願いします」

これでもやりとりする内容の機能の上では問題ないのですが、

「集合は12時に○○駅改札でいかがでしょうか」

こちらのほうが、一方的ではなく相手の意見も伺う姿勢が感じられます。どちらの問いにも「わかりました」と返信するにしても、前者に対しては「指示」に反応をしただけで、後者だと「質問」に応答した印象があります。もちろん「ハッキリと指示するべきシーン」もありますから、その場合はハッキリと書いたほうがいいです。

取っ手＝余白というのは、「相手にも選択肢を提示する」ということとも言えます。こちらの「指示通り」にさせているのではなく、相手に「選んでいる」と思わせる、ということです。

「それでは弊社でお待ちしております。当日なにかご都合がわるくなりましたらオンラインＭＴＧでも大丈夫ですのでおっしゃってください」

この最後の一文を入れるだけで、いい関係性をつくれると思いませんか。こんなに相手にへりくだってお伺いを立てる必要あるのか？　そんな声も聞こえてきそうです。ですが、相手へのリスペクトが前提にあるコミュニケーションのほうが、いい仕事が生まれるとぼくは思いますし、みんながひとことでも相手を気遣える一文を添えられるような社会になったらいいなぁと考えています。

## 13――持っていることばだけ使ってみる

「ビジネスことば」というのでしょうか、生まれてこのかた一度も使ってきていなかったことばを、仕事でのやりとりだと使うことがあります。これには流行という要素もありますし、ぼくはその組織のカルチャーというのはその組織である単語をどのような定義で使っているのかということにも表れると思っています（たとえば「数字」という単語の定義は組織によってちがうと思います）。

代表的なものはカタカナ用語です。「エビデンス」「コンバージョン」「アグリー」「スキーム」「ローンチ」「ハレーション」「カスタマージャーニー」……パッと思いつくのがこのあたりですが、もともとこの単語がなくてもそれに当たる意味の日本語があって仕事ができていたと思うのです。けれど、こういうカタカナを使うカルチャーの組織にいると、人のマネなどをして使うのだと思います。日本語でも、メールだと急に「小生」と書かれる部長さんもいますよね（ちなみに、これはかわいくて好きなのですが）。

話すことばでも、書くことばでも、基本はまず「じぶんが持っていることば」を使うことが大事だと思います。旅行先などで普段使い慣れていない枕で寝ると首が痛くなることがありますが、じぶんの気持ちを伝えるときに、使い慣れていない道具（ことば）を使うとぎこちなくなってしまう、またはほんとうの気持ちが隠れてしまうように思います。「これが一丁目一番地」と言わずに、「これがいちばん大事」でいいじゃないですか。「エビデンスはありますか？」なんて言わなくたって、「なにかデータや根拠はありますか？」でいいじゃないですか。使い慣れている道具を使ったほうが、きっと思っていることがちゃんと伝わります。なんのエビデンスもないのですが…。

## 14――ポジティブでおわらせてみる

一枚の絵画を眺めるのとちがって、文字というものは読んだり聴いたりするときにかならず「時間軸」があります。本を開いて、スキャンするようにすべてを同時に読むことはできませんし、人の話を聴くときはかならず順番があります。

この「ことばを伝える順番」というのは非常に大事で、サイモン・シネックの「ゴールデンサークル理論」も有名です（すぐれたリーダーや企業は、WHY→HOW→WHATの順番でメッセージを伝えるが、世の中のほとんどは逆のWHAT→HOWで伝えてWHYが抜けているというプレゼンテーション）。

例を挙げてみます。

A「今日のキャンプ最高だったね！　でも大雨に降られるし虫はいるし**疲れた**」

B「今日のキャンプ大雨に降られるし虫はいるし疲れた！　でも**最高だったね！**」

このＡとＢは、まったくおなじことばの要素（情報）からできている文章です。けれども、伝える順番が変わるだけで印象が大きく変わっていることがわかります。Ａはネガティブな感想に見えて、Ｂはポジティブな感想に見えます。受け手は最後に得られた情報のほうが印象に残るということが言えます。

また、プレゼンなどでよくあるシーンで、こちらのプレゼンが一通りおわったあとにクライアントから「ありがとうございました。とても素晴らしいご提案をありがとうございます」とくると、「ああ、くるぞくるぞ…」とドキドキします。「…なのですが…」とつづくことが多いからです。「ありがとうございました。まずここが気になりました、もっと改善できると思います。ですが、こことここはすばらしいご提案でした」というパターンはほとんどありません。チームで1週間の振り返りをするミーティングなどでも、なぜか「今週うまくいったこと」を話してから「今週うまくいかなかったこと」を話す傾向があるように思います。先にＧＯＯＤ、あとにＢＡＤという流れです。

ですが、なにか言いにくいこと、伝えにくいことは先に書いたり話したりしてしまって、あとから改善点やフォローを入れたほうがいいのではないかと思っています。ぜひやってみてください。きっと送り手も受け手も気持ちよくコミュニケーションが進むと思います。

# 15 ―― 喩えてみる

わかりにくいものを伝えるとき、新しいなにかを相手に憶えてもらうとき、などに「喩え」は効果抜群です。

「それってこうとも言えますよね」と喩えること。まさにコピーライターの仕事というのはこれに尽きると思います。人にあだ名を付けるのがうまい人は、得意かもしれません。そういう意味では、お笑い芸人のみなさんは、みんな喩えのプロですから、コピーライターとしてもすばらしい仕事をされる気がします。

「喩える」ということは決して簡単なことではありません。常に身近な世の中を見つめて、そこからその本質や原理を探りじぶんの頭にストックしておいて、似たものが現れたときに「これと似ているな」とことばで示せる技能が必要になります。

中学生の頃に通っていた塾の先生に博識で雑談のおもしろい先生がいました。この世で知らないことはないんじゃないかってくらいアイドルやアニメから日本中の名産品、世界経済までなんでも知っている人でした。

この先生が印象的だったのは難しい話をわかりやすく伝えるための「喩え」が非常にうまかったことです。「○○みたいに」と幅広いあらゆる引き出しを持っていてこちらの目線でなにかを説明してくれていました。当時、まだ14歳くらいでしたが、「頭がいい人」というのは「喩えがうまい人」なんだと思ったことをはっきりと憶えています。

「食べたものしかウンコにならない」と言いますが、ことばもおなじで、じぶんが見たり聴いたりしたことしか、ことばとしてカラダの外側に出ていかないもの。

おなじものを見て、感じることは人それぞれ。文体や視点は、その人そのもの。普段からどんなことばに触れているのか。普段からなにを考えているのか。ことばを磨くということは、そんな修行のような道なのかもしれません。

# おわりに

この本の「母」がぼくだとすれば、「父」にあたる人たちがいます。厳しくもやさしいまなざしで見守ってくれながら、この本をいっしょに育ててくれた人たちです。

いちばんに思い浮かぶのは、この本の編集担当である千美朝さんです。はじめてお会いしたときから今日までずっと、真夏の日差しのような強烈なパワーをぼくに浴びせてくれました。本を書くのがはじめてのぼくが、「これでいいのか？」と頭を抱えて迷路をぐるぐる回るたびに、背中を押してくれました。あまりに人を鼓舞することばの表現力があるので、「もう、千さんが本を書いたほうがいいんじゃないですか…？」と言ったことがあるくらいでした。千さんがいなければこの本が生まれる機会にも恵まれませんでしたし、最後まで書き終えることができませんでした。一般的な性別だけならば、ぼくが「父」で、千さんが「母」なのだと思いますが、やっぱり反対のほうがしっくりきます。また、この本づくりのラストスパートを伴走してくださった編集担当の須田奈津妃さんも、ぼくが見えている景色と異なる視点のアドバイスをくださり、わがままにもたくさん付き合っていただき、大変お世話になりました。ありがとうございます。

つぎに、妻とこどもたちへ。「出た、家族への謝辞」と思われた方もいると思います。かく言うぼくも、海外の本の冒頭に「妻とこどもたちへ捧ぐ」とあって「どうしていきなり家族への感謝が述べられるのだろう？」と疑問を抱いていましたが、こうして一冊の本を書き終えてこころから思うのは、家族がいなければ書けなかった、ということです。やはり、なんでもその立場になってみないとわからないことが多いものです。この本を書いている時間は、通常の仕事以外の時間、つまり平日の朝や夜、休日だったので、それらを犠牲（?）にして執筆することができました。「(本を書くのは）あなたのやりたいことだから」と家事・育児で貢献できなくても仕事に送り出してくれた妻、よく晴れた日曜の朝に一緒に遊びたいのにガマンして「おとうさん、がんばってね」と言ってくれた息子に感謝を伝えます。あと、ぼくよりもずっといい「主観」という文字を表紙カバー用に書いてくれたことも。出版前のタイミングでこの世に生まれてきた娘にも、すこしだけありがとう。

ほかにも、原稿を書くときは、なぜか「くるり」の楽曲を聴いていました。洋楽でもほかのロックバンドでもなぜかダメで、あるときこの本の文章を書くときには「くるり」がいちばん合うと気づいてから、ずっと聴いていました。ご本人たちにとどくかわかりませんが、この本のＢＧＭとして大変お世話になりました。

また、これまでぼくが読んできたすべての本、出会ってきた人たち、この本に登場してくださった方々のことばがぼくの血肉となっていて、この本の1文字1文字が生まれています。ひとりひとりのお名前を挙げることはできませんが、みなさんのおかげです。ありがとうございます。

最後に、父と母と兄と姉に。いつもたくさんの愛をありがとう。

## 吉谷吾郎（よしたに ごろう）

1987年、東京生まれ。コピーライター、クリエイティブディレクター。早稲田大学政治経済学部政治学科卒業後、2011年に株式会社パラドックス入社。規模や業種を問わず多くの組織の企業理念やスローガンの考案、採用ブランディング、広告プロモーションのコンセプトづくり、クリエイティブの制作に携わる。2023年に独立、会社設立。日本ラグビーフットボール選手会の設立、アスリートのメンタルヘルス啓蒙活動「よわいはつよいプロジェクト」など法人や事業の立ち上げにも参画。「ほぼ日の塾」第1期生。主な受賞歴に、ヤマハ発動機スポーツ振興財団スポーツチャレンジ賞奨励賞、流行語大賞2019最終ノミネート、TCC賞（東京コピーライターズクラブ）ファイナリスト、Forbes Japan SPORTS INNOVATION PITCHグランプリ受賞など。
https://yoshitanigoro.com/


# 主観思考《しゅかんしこう》

## 思《おも》ったこと言《い》ってなにがわるい


2023年12月30日　初版第1刷発行

著者　吉谷吾郎《よしたにごろう》

発行者　三宅貴久
発行所　株式会社 光文社
〒112-8011　東京都文京区音羽1-16-6
電話　編集部 03-5395-8172
書籍販売部 03-5395-8116
業務部 03-5395-8125
メール　non@kobunsha.com
落丁本・乱丁本は業務部へご連絡くだされば、お取り替えいたします。

装幀　小口翔平＋青山風音（tobufune）
組版　萩原印刷
印刷所　萩原印刷
製本所　ナショナル製本



R〈日本複製権センター委託出版物〉
本書の無断複写複製（コピー）は著作権法上での例外を除き禁じられています。本書をコピーされる場合は、そのつど事前に、日本複製権センター（☎03-6809-1281、e-mail：jrrc_info@jrrc.or.jp）の許諾を得てください。
本書の電子化は私的使用に限り、著作権法上認められています。ただし代行業者等の第三者による電子データ化及び電子書籍化は、いかなる場合も認められておりません。
© Goro Yoshitani 2023　Printed in Japan　ISBN978-4-334-10179-4
JASRAC 出 2308825-301